Les Éditions du Boréal
4447, rue Saint-Denis
Montréal (Québec) H2J 2L2
www.editionsboreal.qc.ca

L'Allume-cigarette
de la Chrysler noire

DU MÊME AUTEUR

Le Moineau domestique. Histoire de vivre, Guérin, 1991 ; Boréal, 2000.

France-Québec. Images et mirages, Musée de la civilisation, 1999.

L'homme descend de l'ourse, Boréal, 1998 ; coll. « Boréal compact », 2001.

Récits de Mathieu Mestokosho, chasseur innu, Boréal, 2004 (en collaboration avec Mathieu Mestokosho).

Les corneilles ne sont pas les épouses des corbeaux, Boréal, coll. « Papiers collés », 2005.

Bestiaire. Confessions animales, Éditions du Passage, 2006.

Bestiaire II. Confessions animales, Éditions du Passage, 2008.

C'était au temps des mammouths laineux, Boréal, coll. « Papiers collés », 2012 ; coll. « Boréal compact », 2013.

Objectif Nord. Le Québec au-delà du 49e, Éditions Sylvain Harvey, 2013 (en collaboration avec Jean Désy).

Les Yeux tristes de mon camion, Boréal, coll. « Papiers collés », 2016 ; coll. « Boréal compact », 2017.

L'Œuvre du Grand Lièvre filou, Multimondes, 2018.

EN COLLABORATION AVEC BERNARD ARCAND

Quinze lieux communs, Boréal, coll. « Papiers collés », 1993.

De nouveaux lieux communs, Boréal, coll. « Papiers collés », 1994.

Du pâté chinois, du baseball et autres lieux communs, Boréal, coll. « Papiers collés », 1995.

De la fin du mâle, de l'emballage et autres lieux communs, Boréal, coll. « Papiers collés », 1996.

Des pompiers, de l'accent français et autres lieux communs, Boréal, coll. « Papiers collés », 1998.

Du pipi, du gaspillage et sept autres lieux communs, Boréal, coll. « Papiers collés », 2001.

Cow-boy dans l'âme. Sur la piste du western et du country, Éditions de l'Homme, 2002.

Les Meilleurs Lieux communs, peut-être, Boréal, coll. « Boréal compact », 2003.

EN COLLABORATION AVEC MARIE-CHRISTINE LÉVESQUE

Elles ont fait l'Amérique. De remarquables oubliés, tome 1, Lux, 2011.

Les Images que nous sommes. 60 ans de cinéma québécois, Éditions de l'Homme, 2013.

Ils ont fait l'Amérique. De remarquables oubliés, tome 2, Lux, 2014.

Serge Bouchard

L'Allume-cigarette de la Chrysler noire

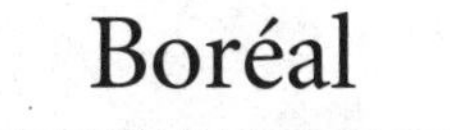

COLLECTION PAPIERS COLLÉS

Dépôt légal : 4e trimestre 2019
Bibliothèque et Archives nationales du Québec

Diffusion au Canada : Dimedia
Diffusion et distribution en Europe : Interforum

Catalogage avant publication de Bibliothèque et Archives nationales du Québec et de Bibliothèque et Archives Canada

Titre : L'allume-cigarette de la Chrysler noire / Serge Bouchard.

Noms : Bouchard, Serge, 1947- auteur.

Collections : Collection Papiers collés.

Description : Mention de collection : Papiers collés

Identifiants : Canadiana 20190031700 | ISBN 9782764626061

Vedettes-matière : RVM : Civilisation occidentale—21e siècle. | RVM : Indiens d'Amérique—Mœurs et coutumes. | RVM : Écologie humaine. | RVM : Québec (Province)—Mœurs et coutumes—21e siècle. | RVM : Québec (Province)—Conditions sociales—21e siècle.

Classification : LCC FC2918 B684 2019 | CDD 306.09714/0905—dc23

ISBN PAPIER 978-2-7646-2606-1

ISBN PDF 978-2-7646-3606-0

ISBN EPUB 978-2-7646-4606-9

Écrire entre chien et loup

Le plus grand mystère est celui de l'inspiration.

Qu'est-ce qui se cache derrière l'acte de création ? Chacun cherche la recette. Comment cela est-il arrivé ? À quelle heure, dans quelles circonstances ? Pouvons-nous reproduire les conditions idéales de l'écriture, de la peinture, de la sculpture ? En ces domaines, quelque chose nous échappe qui ne sera pas résolu demain matin. Comment analyser un état de grâce ?

Moi qui écris tous les jours depuis plus de trente ans, je ne saurais dire comment cela se passe. Il y a le travail, la technique, la discipline. Mais il y a plus, et c'est ce plus qui demeure inexplicable. Les femmes et les hommes qui font profession de créer ne savent pas de quoi est faite leur bonne fortune. Par contre, ils reconnaissent bien leur infortune, le manque d'inspiration, la routine, la répétition, l'œuvre sans âme, la mauvaise musique, les mauvais dessins, le texte nul. Ces temps morts prennent à peu près tout notre temps. Dans ce fatras, quelques chanceux, quelques chanceuses seront bénis des dieux, ils écriront un texte, peut-être même un paragraphe, elles feront un tableau, une mélodie, un objet dont la valeur relève d'un autre monde. Toutefois, le rendez-vous avec l'inspiration est un rendez-vous qui n'existe pas. L'artiste pactise avec cette incertitude : saurai-je le faire encore ? Aurai-je encore cette illumination, cet état de grâce, ce moment épiphanique, ce trait, cette fulgurance, cet instant où tout coule de source ?

D'où viennent mes images, mes idées, mes histoires ? Le style, la forme, les liens, les formules, tout cela a une source inconnue. Je ne sais pas, je ne sais rien. Je me rappelle avoir écrit des textes en un tour de main, et le texte était là qui ne demandait pas de retouches, il était là, presque étranger à ma conscience, prêt à vivre sa longue vie de texte, hors du temps. Un peu comme si j'étais étranger à la chose. Jankélévitch a consacré de nombreuses pages à ce sujet. Quels sont les heures propices, les instants bénis qui font qu'on accouche d'un chef-d'œuvre ? L'énigme reste entière, bien sûr, personne ne dira jamais pourquoi Liszt est Liszt, pourquoi Beethoven est Beethoven. Cependant, Jankélévitch se lance sur une piste, sans espoir de résoudre la question : l'inspiration, bien qu'insaisissable, aurait quand même ses quartiers généraux. Dans le cercle de la journée, il est deux moments flous, l'aube et le crépuscule. Tous les jours, il y a une naissance, un lever de rideau, l'apparition graduelle de la lumière. Tous les soirs, il y a un déclin, une ombre, un entre-deux, une mort. Ce serait donc entre chien et loup et entre loup et chien que logerait ce qu'on appelle l'inspiration. Ce n'est pas une promesse de création, c'est juste une promesse d'émotion.

Ma mère était très sensible à ces choses. Elle avait peur du soir, elle renaissait à l'aube. Dans sa vieillesse, le crépuscule l'angoissait de plus en plus : elle éprouvait l'absurde, le non-sens, la perte, le départ, l'éloignement, la froideur de l'être, la dérision de l'existence. Mais au matin ensoleillé, elle oubliait ses peurs, elle retrouvait ses sens, se faisant contemplative et philosophe. Elle était même parfois de bonne humeur, parlant de ses lectures, de ses géraniums, de sa vie. Nul besoin d'être un artiste reconnu pour ressentir les effets de ces passages quotidiens. Le jour meurt, le jour naît, ce sont des moments mystérieux qui portent à la réflexion, à la contemplation, au recueillement. Ce sont des heures poétiques.

Tous les humains ont droit aux frissons de l'absolu. Il suffit d'être dans une chaloupe, au milieu d'un lac calme, au plus profond des bois, dans les brumes de l'aube, pour entendre, ne serait-ce qu'une seconde, les premières notes de la symphonie de l'univers, pour apercevoir en un clin d'œil toute l'étendue de la beauté du monde. C'est à n'y rien comprendre.

Trois petits sapins bleus

Trois petits sapins bleus

Je suis né en ville. En fait, je suis né au 3882 de la rue Saint-Dominique, à Montréal. C'est dans le coin du marché Jean-Talon. J'aime l'idée d'être né dans un chou, entre un étal de belles tomates et quelques paniers de concombres. Cela nous ramène presque en ces temps bénis où les maraîchers traversaient les ponts pour venir dans les marchés vendre leurs produits. La campagne touchait à la ville et cela était touchant. Tous les vieux et vieilles de Montréal disaient la même chose, immanquablement : quand j'étais jeune, ici c'étaient des champs ; au nord de Rosemont, à l'est de Viau, c'étaient des champs.

Né dans la ville, mais élevé dans la banlieue. En fait, j'ai passé ma jeunesse à Pointe-aux-Trembles, dans les nouveaux quartiers de maisons unifamiliales de 1955, alors que les maisons étaient construites par centaines au nord de la voie ferrée, dans les champs abandonnés. Premières banlieues, aux confins de l'île, aux abords de l'ancien village, tout au bout des circuits d'autobus. Je serais bien fou de m'en plaindre, j'ai eu ce qu'on appelle une enfance heureuse. J'aimais l'alignement des rues nouvelles, l'asphalte noir qui sent encore le goudron chaud, les rouleaux de gazon fraîchement posés, les petits arbres des pépiniéristes, les rocailles, les haies de cèdres, et les nouvelles maisons que les entrepreneurs n'arrêtaient pas de construire. Il y eut la mode des saules pleureurs, puis celle des bouleaux pleureurs. Je ne dis rien de la popularité des ormes chinois. Nous pouvions parcourir à vélo toutes les voies lisses et parfaites de ce labyrinthe, nous pouvions jouer au hockey dans la rue. Tout était neuf, les poteaux de téléphone, les puisards, et les pissenlits respiraient le bonheur.

Nous devions tondre des gazons et j'aimais beaucoup cela. Je pouvais même tondre les gazons des autres, cela me donnait de l'argent et de l'importance. J'ai écrit là-dessus : « Ma jeunesse dans la banlieue, c'est le bruit d'une tondeuse en été, le bruit familier d'un petit moteur à deux temps allant et venant sur un terrain voisin. Et de tondeuse à l'œuvre en tondeuse à l'œuvre se tissait ce merveilleux lien communautaire qui transformait notre quartier insignifiant et désert en une oasis de verdure et en un havre de continuité. La chose s'est comme accrochée à moi. Je suis heureux et me repose à l'idée de tondre le gazon. L'aller-retour, le travail fait, le bruit régulier, les vibrations puis, au-delà des clôtures et des haies, la communication avec les autres tondeuses, voilà la culture, voilà l'extase, voilà la paix. »

L'extase, c'était aussi de pelleter. L'hiver, nous pelletions les entrées de garage et les trottoirs privés. J'ai appris à pelleter de la neige comme un sculpteur travaille sa matière. Il fallait voir notre travail impressionnant, ces murs de neige parfaitement coupés, ces trottoirs magnifiques serpentant au travers de bonnes épaisseurs de neige. Nous allions à l'école primaire à pied, rejoignant en chemin les amis qui vivaient la même vie que nous. Adolescent, j'ai dû prendre l'autobus, aller en ville tous les jours, aller-retour. Mais, suis-je bien fait, j'ai tant aimé les autobus. Il faut donner du temps au temps, et ce temps énorme passé dans les transports me fut bénéfique. J'appris à voyager. Je n'enviais pas mes copains de la ville, j'étais toujours content de rentrer chez moi, dans ma banlieue. J'aimais ma famille, j'aimais ma maison. Notre décor de *Truman Show* s'arrêtait brusquement aux clôtures des raffineries de pétrole où de gros réservoirs constituaient notre ligne d'horizon. Mais encore, nous avions beaucoup de ciel. Et n'allez pas croire que ma banlieue était banale, insignifiante, que ma rue était sans histoire. Quand j'y repense et si je savais écrire, le simple récit des destins de ces quelques bungalows vaudrait les romans de Zola, voire ceux des grands écrivains russes.

Je pourrais écrire « La vie heureuse de Roméo et Émilienne au 1217, 4e Avenue ». Oui, mes parents avaient gagné leur lot de bonheur. Ma mère, élevée dans le Faubourg à m'lasse, et pour qui la ville voulait dire *locataire, coquerelles* et *taudis,* se retrouvait dans sa maison de banlieue comme une vagabonde ayant trouvé son ciel. Mon père adorait son entrée de garage, il était si heureux de savoir que seule sa voiture pouvait s'y garer. Un petit vent de victoire flottait dans l'air. Et devant la maison, nous avions planté trois petits sapins bleus pour marquer le coup.

Bouchard : mille ans d'histoire

Un ami français, passionné d'histoire et voulant me faire plaisir, chercha dans les temps les plus anciens d'où pouvait bien venir le patronyme *Bouchard*. C'est de lui que je tiens que le mot *Bouchard* est d'origine germanique, comme *Bernard*, qui signifie « bois franc ». Il faut entendre *Bou* comme dans bûche, comme dans *book*, comme dans *bush*. Il faut aussi entendre le *ard* comme dans *hard*, c'est-à-dire « dur ». Tout cela remonte à l'an 1000, où il était de bon ton parmi les Gaulois de se donner des prénoms francs. C'est une mode qui dura un certain temps. Les Gaulois étaient celtes, les Francs germaniques. Le prénom de Bouchard donnait des airs de dur. En effet, le Bouchard le plus ancien que nous connaissions était un seigneur de guerre dans la région du nord de Paris. Il s'appelait Bouchard de Montmorency, son quartier général se situant dans le quartier du Mont-Valérien. Vers les années 1100, il vivait de chantage et d'extorsion, il était notoirement cruel et craint du roi de France, il possédait à lui seul à peu près l'entièreté de la région parisienne. On parle ici de grand banditisme.

Mes recherches m'ont permis de retrouver un autre Bouchard redoutable, Hippolyte Bouchard, un pirate de la pire espèce. Il n'était pas parisien, mais provençal. Méditerranéen, il fut capitaine de vaisseau, puis corsaire sous le pavillon de l'Argentine. En fait, il se fit argentin et se distingua en attaquant et en détruisant les missions espagnoles de la Californie au début du XIXe siècle. Il pilla Santa Barbara, Santa Monica, Santa Rosa, San Diego et San Francisco. Il se fit grand propriétaire terrien, latifondiaire, en Argentine, mais il fut assassiné par ses *peones*, ses propres paysans travailleurs, qui se révoltèrent contre sa violence et sa méchanceté.

Tous les Bouchard ne sont pas apparentés, heureusement. En Nouvelle-France, il en vint sept différents, et leur arrivée s'étale sur un siècle. C'est à croire que la France voulait se vider de tous ses Bouchard. Il en débarquait un nouveau tous les quinze ans. Personnellement, je descends du dernier arrivé. Ce Bouchard tardif était d'origine parisienne, plus précisément de la paroisse Saint-Séverin dans le vieux Paris. Il débarqua en Amérique en 1748, juste avant la guerre de Sept Ans, il était d'ailleurs soldat. Démobilisé, il ne retourna jamais dans son pays. Il épousa plutôt une Canadienne et se fit fermier dans la région de Rivière-Ouelle. Les Bouchard de ma branche allaient se tenir dans ces coins-là, jusqu'au Bic, jusqu'à Rimouski. Ce sont les Bouchard du Bas-du-Fleuve. Je vous parlerais volontiers du père Arthur Bouchard, missionnaire oblat, natif de Rivière-Ouelle, fils de forgeron, qui fit ses études de prêtrise à Baltimore, puis à Londres, puis à Vérone en Italie. Il fut missionnaire au Caire en 1879, puis au Soudan, à Khartoum. Il parlait arabe couramment. Il fut l'aumônier des voyageurs canadiens sur le Nil lors de la tentative de libération du colonel Gordon, assiégé à Khartoum par des musulmans qui cherchaient à se libérer de l'empire britannique ; c'était en 1884. Arthur Bouchard mourut jeune, à cinquante et un ans, à Trinité-et-Tobago : une maladie incurable l'emporta en 1896. Monseigneur Têtu écrivit un petit livre sur sa vie. Il rapporte que ce beau missionnaire était un homme bon, grand conteur, de commerce facile.

Mon grand-père était palefrenier (homme de chevaux) dans le Bas-du-Fleuve. Il épousa à Rimouski une nommée Cécile Ouellet, aux airs métis bien affirmés. Ils eurent sept garçons et une fille, qui vécurent tous à Montréal, dans la Petite-Italie, la famille entière ayant quitté Rimouski vers 1920. Les sept frères Bouchard se firent remarquer en leur temps et en leur quartier. Mais, dans ma famille, nous avons retenu cette histoire, celle du soldat Bouchard, mon oncle Aurèle. Il avait vingt et un ans en 1940. Il ne voulait pas aller à la guerre, mais il y fut bien obligé. Il était jeune, célibataire, fort et en pleine forme : le soldat idéal. Il fut envoyé en Tunisie, en Algérie, en Sicile, puis il mourut sur le champ de bataille durant la campagne d'Italie. Son corps repose au cimetière militaire d'Ortona, où j'ai visité sa tombe en 1973. Devant la petite croix blanche, je pensais aux histoires de famille, celles que j'avais entendues depuis ma plus tendre enfance. Aurèle était beau, il était doux. Il n'est jamais revenu dans la Petite-Italie, lui qui est mort pour libérer la grande.

C'est curieux, ce qui se cache derrière un simple nom. Ils furent bûcherons, forgerons, elles furent fermières, ménagères. Du côté de ma mère, du côté de mon père, tout cela me tombe sur la tête. Trente générations de guerre et de paix, d'amour et de sueur, chacun, chacune, avec sa propre histoire, un théâtre qui nous habite sans que nous le sachions.

Une petite croix blanche en Italie

Le soldat immatriculé D-163106 est mort à la fin du mois de décembre 1943 à Ortona, en Italie. Ce n'était rien, un simple soldat canadien, un parmi la masse des victimes de la Deuxième Guerre mondiale. Joseph-Aurèle Bouchard, qui allait avoir vingt-quatre ans, ne reviendrait plus au pays, ni son âme, ni son corps, ni sa vie.

Aurèle avait laissé l'école en troisième année du primaire pour piler des planches, comme on disait, dans le clos à bois où travaillait son père. Ensuite, il avait pris un emploi chez Kik Cola, comme manutentionnaire de grosses caisses de liqueur. Adolescent, Aurèle manifestait une force hors du commun. On disait qu'il pouvait crochir un clou de six pouces avec ses doigts. Sa réputation fit rapidement le tour du quartier et Aurèle devint une sorte de vedette locale, rien pour lui plaire, car il souffrait d'une très grande timidité. Il aurait voulu passer inaperçu. Mais cela lui était difficile, il était fort, il était grand, il était beau. Quand vinrent les rumeurs d'une guerre, il envisagea, comme bien d'autres, de se cacher dans les bois. Mais il n'en fit rien. Il fut finalement conscrit, soldat contre son gré, et partit rejoindre le Royal 22e Régiment au Maroc, en attente du débarquement en Sicile.

Sa guerre allait durer quatre mois, pas plus. Un soir de la fin décembre, alors que son régiment participait à la campagne d'Italie, il fut désigné pour faire une reconnaissance dans une prairie au-delà de laquelle se trouvaient les Allemands. Il rampa, se faisant furtif, essayant de passer inaperçu comme il l'avait fait toute sa vie, il rampa, rampa sur une mine. L'explosion ne le tua pas sur le coup. Le ventre ouvert, hurlant de douleur, il retint ses tripes avec ses mains. Chaque fois que ses compagnons tentaient d'aller le chercher, les Allemands redoublaient leurs attaques. Cela dura de neuf heures du soir à cinq heures du matin. Les hurlements devinrent des râles, puis s'espacèrent. À l'aube, Aurèle ne criait plus. Les soldats du 22e le retrouvèrent plus tard dans la matinée, les mains crispées sur son ventre, le visage tourné vers le ciel. Les paquets envoyés par sa mère pour les fêtes de Noël 1943 furent retournés à la maison. Son corps, lui, ne fut pas rapatrié. Quand je me suis recueilli sur sa tombe en 1973, presque trente ans après les faits, c'était bien tranquille, pour lui, mon oncle Aurèle, comme pour les autres qui dormaient sous les milliers de petites croix blanches marquant le repos des guerriers.

Ces souvenirs, cette vie brève que je vous raconte me viennent d'un album de famille que j'ai retrouvé dans la cave de ma maison, au fond d'une boîte d'archives personnelles. Des dix photographies qu'il nous reste d'Aurèle, une seule nous le montre chez lui, sur le balcon du logement de la rue Saint-Dominique, assis sur la rampe, un grand garçon au teint très foncé, chevelure abondante, une ample chemise blanche, un garçon qui respire la force et la tranquillité, comme un jeune animal qui se prépare à vivre. Toutes les autres photos ont été prises alors qu'il était soldat. Aurèle à l'entraînement à Montréal, Aurèle au Maroc, au début de l'été 1943. Ici avec un gendarme français et une femme voilée, là avec un homme en djellaba. Sur une autre photo, on le voit près de la mer, à Tanger peut-être. Sur celle-ci, torse nu sur la plage, puis devant les dunes du désert. On le dirait en vacances, passant de bons moments sous le chaud soleil de l'Afrique.

Sans ces quelques photographies, les seules archives d'une vie, le soldat immatriculé D-163106 serait demeuré à jamais un soldat inconnu, une petite croix blanche parmi des milliers de petites croix blanches, nulle part en Italie.

Le complot de la zone 51

Je sais depuis longtemps que la CIA me surveille : filature, surveillance électronique, caméra cachée, dossier secret. Laissez-moi vous en révéler la cause.

Durant l'été de 1947, plus précisément le 8 juillet à trois heures cinquante et un du matin, une soucoupe volante s'est écrasée à Roswell au Nouveau-Mexique, près d'une base militaire américaine, dans une zone désertique retirée. Au petit matin, l'armée et les services secrets auraient récupéré les corps de plusieurs extraterrestres, tués sur le coup. L'impact au sol avait eu lieu dans un ranch, juste au-delà de la clôture de la base militaire. Le propriétaire du ranch, un vieil éleveur de bétail, aurait assisté à la scène de récupération des débris et des corps. Plus encore, un civil aurait été témoin de l'écrasement. Roulant sur une petite route du désert au volant de son vieux pick-up Fargo, il a d'abord vu un UFO dans le ciel de la nuit. L'objet volant non identifié, familièrement appelé *ovni*, s'est approché du sol à grande vitesse, comme un missile, puis le témoin a vu un éclair éblouissant et entendu une explosion. Effrayé, il s'est enfui sans demander son reste, croyant à une bombe atomique. Bien sûr, les militaires ont immédiatement accouru sur les lieux, et c'est là qu'ils ont eu la surprise de leur vie : ils n'étaient pas en présence d'un avion ou de quelque chose d'ordinaire, mais bien d'un vaisseau spatial brisé en mille miettes ; c'est plus loin, par-dessus une butte, qu'ils ont découvert les corps de créatures étranges dont les origines ne pouvaient pas être terrestres.

Dans le plus grand secret, durant cette nuit d'été dans le sud des États-Unis, des généraux et des agents spéciaux ont communiqué au président Truman la nouvelle incroyable de l'écrasement d'un vaisseau spatial extraterrestre, précisément sur le territoire des États-Unis. Dans le Bureau ovale, il a été convenu que le grand public ne serait jamais informé de l'événement. Les corps des malheureux extraterrestres ont été examinés minutieusement, mais on n'a jamais divulgué les résultats de l'autopsie. De nombreuses pièces du vaisseau ont été récupérées. Certains analystes lient la naissance et le développement des gros ordinateurs du Pentagone à la récupération des technologies de ce vaisseau. Qui sait ce qu'ont pu retirer les scientifiques américains de cet écrasement inespéré ?

Aujourd'hui, les corps congelés, les pièces du vaisseau composées d'un matériau inconnu sur terre, toutes les preuves sont cachées dans l'entrepôt de la zone 51, sur la base militaire de Roswell. Jamais on n'a pu interviewer les médecins responsables des autopsies, encore moins les soldats qui s'étaient occupés de la récupération des corps, de leur transport et du nettoyage du site. Personne ne peut s'approcher de l'entrepôt. Depuis plus de soixante-dix ans, les autorités ont réussi à préserver le secret en contrôlant la vie des centaines d'individus reliés à l'affaire. Nul ne sait pourquoi le gouvernement américain n'a jamais voulu révéler au monde entier le fait que l'humanité détient la preuve d'une vie extraterrestre depuis le soir du 8 juillet 1947. Mais là ne s'arrête pas le mystère.

Des rapports ultrasecrets indiquent qu'un extraterrestre aurait survécu à l'accident, qu'il se serait enfui des lieux, blessé peut-être, furtif certainement, puisque les autorités ne l'ont jamais retrouvé. Plus tard, un témoin aurait aperçu une forme étrange courir dans le désert, en direction du nord. Une serveuse dans un *truck stop* affirme avoir été surprise et effrayée par des yeux brillant dans le noir, derrière le grand stationnement. Des témoignages semblables se répètent de l'Oklahoma jusqu'à Ottawa, en passant par le Nebraska et l'Illinois. En vérité, au terme de sa longue course, la créature aurait abouti au parc Jarry à Montréal, où elle serait arrivée en pleine vague de chaleur, durant un orage électrique, sur le coup de minuit, le 27 juillet. Des enquêtes secrètes ont cherché à comprendre pourquoi l'extraterrestre aurait fait un aussi long voyage avant de se fondre dans le décor de la ville de Montréal. Seuls les initiés connaissent la réponse : cet être venu d'une autre planète était doté d'une intelligence supérieure et il a vite compris que la meilleure chance de passer inaperçu aux yeux des Américains, c'était de devenir un Canadien français.

(Or il est vrai que je suis né le 27 juillet 1947, rue Saint-Dominique, tout près du parc Jarry, dans le nord de Montréal, à minuit, sous le coup d'un orage…)

Mon petit chien de paille

Lorsque j'étais un petit enfant, j'avais évidemment un toutou. C'était un chien jaune à poil assez raide, rembourré de paille. Un jouet d'un autre âge, me direz-vous, et vous aurez raison. Nous parlons d'un toutou manufacturé avant 1950. Plus de soixante ans plus tard, alors que je ne m'y attendais pas, j'ai retrouvé mon chien de paille dans les vieilleries de ma mère au lendemain de son décès. Ce chien jaune, je l'avais oublié depuis longtemps, mais voilà que d'ainsi le voir apparaître au milieu des affaires de ma mère réveillait d'un coup ma mémoire émotionnelle. J'étais pris de souvenirs tendres et de sentiments éprouvés avant l'âge de six ans. Ce simple toutou défraîchi transportait avec lui une charge immense de sens.

Ces valeurs sentimentales sont aussi universelles qu'inexpliquées, pour autant qu'on aille au-delà des raisonnements psychologiques primaires. L'enfant s'attache à une couverture, pensons à Linus, le personnage de la bande dessinée *Charlie Brown.* Avec le temps, cette couverture devient un bout de tissu, à la limite une guenille. Mais ce bout de guenille a une grande valeur pour celui ou celle qui le caresse depuis plusieurs années. Je revois ma première femme, Ginette, en train de vivre ses derniers jours, au terme d'une longue maladie. Lorsque je lui donnais son toutou, elle souriait, elle le serrait fort. Ce n'était plus une enfant, pourtant, c'était une femme mûre et sérieuse, une notaire, une femme très forte. Dans l'adversité suprême, dans la peur de l'inconnu, face à de profondes détresses, l'humain se replie sur lui-même, et dans ce repliement, il serre contre son cœur cette simple chose qui le rassure et le console, un toutou.

Mais quel est le prix des objets qu'on aime ? Nous comprenons à peine l'origine de la valeur économique des choses. Il y a une bonne part d'irrationnel dans le comportement des financiers, il y a quelque chose de fou dans la valeur même de l'argent et dans l'accumulation du capital. Nous sommes pris au piège : toutes les réalités de notre monde s'appuient sur la notion de valeur et s'il est quelque chose que nous ignorons, c'est bien la nature de cette valeur en tant que valeur. La dernière fois que j'ai lu un traité sur les valeurs humaines, cela ne m'a nullement avancé. Je suis resté perplexe. On dira d'une chose qui a une grande valeur que cette chose n'a pas de valeur, tellement elle est précieuse. Le précieux touche à l'absolu et cet état sublime disqualifie l'échelle des valeurs. Une fois sacrée, une réalité n'a plus de prix.

La valeur est le lieu mystérieux de la fusion entre le quantitatif et le qualitatif. Les réactions en chaîne sont si complexes qui passent du matériel à l'immatériel. Combien vaut ce tableau ? Quelle est la valeur de ce peintre ? Qui a décidé que ce petit point rouge sur un grand fond blanc valait cinq mille dollars ? Qui a dit que ce bonbon valait cinq cennes ? Quelle est la valeur de mon chien de paille ? De mon chien jaune qui ne paie pas de mine ? Il ne lui reste qu'un œil, il a perdu de la paille par la queue, on a mis un diachylon sur la déchirure, franchement, mon petit chien a une bien drôle d'allure. Cependant, il n'a pas de prix. Tiré des limbes de mon oubli, il est immensément précieux.

C'est la métaphore de Rosebud, dans le film *Citizen*

Kane. Combien valait la vieille luge de marque Rosebud retrouvée dans les affaires du magnat de la presse après sa mort ? Rien, absolument rien, on l'a jetée dans le feu. Et pourtant, pour le citoyen Kane, cette luge avait une valeur symbolique inestimable : c'était l'enfance volée, l'innocence perdue, et le souvenir de cette luge, à l'instant de la mort, valait plus que tous les milliards du monde.

Donner une valeur, c'est un peu animer un échange. Comme si nous cherchions à nous attacher à tout prix. Tenir à son chien de paille, c'est déjà s'accrocher à quelque chose : notre main et nos bras qui enserrent l'objet d'une certaine rédemption. C'est la lutte entre la sensibilité et le non-sens : mon chien de paille s'appelait Henri, c'était mon confident et mon ami, il veillait sur moi dans mon lit. En réalité, c'était un jouet à deux sous qui ne valait rien du tout. Cependant, quoi que je dise, quoi que je fasse, ce chien me regarde du seul œil qui lui reste. Quelle chance fabuleuse de l'avoir retrouvé ; la tentation est grande de le reprendre, qu'il me rassure à la sortie, comme il l'a fait autrefois, à l'entrée.

Nulle parole n'est véridique ici-bas

Sur une photo ancienne, une « photo de photographe », comme on disait jadis, je peux me voir enfant, assis sur un tabouret avec mon toutou dans les bras, un peu figé devant un faux décor représentant vaguement une forêt sombre. Attachée à la photographie, une petite note manuscrite, l'écriture de ma mère : « Serge, un an et demi, il aime le monde, il aime la vie, ça lui sort de partout… il parle sans arrêt, il parle tout le temps. » Et ma mère de répandre dès ma petite enfance la rumeur qui devint une légende familiale : Serge parle du matin jusqu'au soir. Mais qui donc a activé ce moulin à paroles ? D'où venait dans ma petite enfance cette pulsion de nommer, de raconter ? Apparemment, je découvrais le monde et ce monde, je croyais qu'il fallait le dire dans sa totalité. Pourquoi réciter ainsi toutes les réalités, toutes les images, toutes les idées ?

Pour être bien sûr de ne pas répondre à ces questions, partons de cette citation de Vladimir Jankélévitch, ce philosophe mystérieux que je me plais à citer si souvent dans mes réflexions. À propos de la parole, il écrit : « L'humain parle non pas pour se faire comprendre, il parle plutôt pour se dérober, si bien qu'il doit être mécompris pour être mieux compris, d'où la grande tragédie de l'Expression. » À cause des métaphores et des allégories, voire des fioritures et des recherches esthétiques, nos paroles, lorsqu'elles sont bien dites, atteignent déjà de hauts niveaux de sens cachés. Au travers de ses détours et luxuriances, bien entendre quelqu'un devient un exercice extrême. Qu'a-t-il voulu dire ? Quel est le sens réel de son propos ? Quoi de vrai, quoi de faux ? Dans le monde humain des communications quotidiennes et banales, notre cerveau ne décode pas des messages, il fait plutôt de l'exégèse à temps plein. Un simple code ne servirait à rien puisqu'il nous faut constamment lire entre les lignes, entendre le non-dit. Nous sommes des tâcherons du logos.

Vu les difficultés inhérentes à la chose, on a eu tendance à privilégier l'acte écrit plutôt que l'acte de parole. D'autant que les écrits restent et que les paroles s'envolent. L'écrit est perçu comme un objet plus fiable, comme une trace, une preuve, une pièce à conviction. Tandis que personne ne vous croira sur parole, puisque l'expression le dit bien : « c'est ta parole contre la mienne ». Par contre, il faut peut-être retourner le problème : les écrits se trafiquent, les écrits brûlent et, à travers toutes les sources manuscrites qui se présentent à lui, l'historien cherche son chemin, le plus souvent égaré, perdu, enfoui sous des tonnes de faux. Tandis que la parole, elle, ne s'oublie jamais, elle se transmet. Voilà pourquoi je préfère la légende, la fabulation, le mythe à la liste objective des bons coups du roi. Car, dans nos relations dites objectives, nous mentons beaucoup, nous mentons tout le temps. À nous-mêmes, aux autres ainsi qu'à la postérité. Les rois ont menti sur leur fortune, leur bonne comme leur mauvaise, ils ont soudoyé des ménestrels, ils ont semé la confusion, pour se dérober à la vue des spectateurs de l'histoire.

« Nulle parole n'est véridique ici-bas », dit un proverbe aztèque, forcément très ancien. Après des siècles d'obsession pour la clarté et la vérité, le dit a perdu de son mystère et le verbe de sa beauté. Le petit enfant que j'étais vibrait à ses propres fabulations. C'était toute une histoire. Je n'avais aucun souci de vérité, j'aimais tout simplement la réverbération des mots. Je m'avançais, émerveillé, dans la forêt sombre de toutes les métaphores, forêt si riche et si profonde qu'à soixante-dix ans bien sonnés je suis loin d'avoir fini de l'explorer.

* * *

Comme je suis depuis toujours un amant inconditionnel de la parole humaine, un des plus grands désagréments que j'ai pu éprouver en société tout au long de ma vie, c'est la cacophonie et le désordre des conversations autour d'une table. Quelqu'un prend la parole, un autre monte pardessus, l'interrompt, tente même de le faire taire en haussant un peu le ton. Tu commences une histoire, voilà que quelqu'un se détourne, regarde ailleurs, amorce une conversation avec son voisin. Oui, le ton monte, car chacun veut se faire entendre, personne ne retient l'attention de personne, on sort de la table épuisé, agacé, vidé par tant de propos avortés. Et je ne dis pas un mot des idées insipides, des diatribes méchantes, des blagues douteuses, des désordres de l'esprit et autres insignifiances. Comment dire à un convive qu'il parle mal, qu'il pense mal, qu'il indispose tout le monde ? Vous me direz : qui suis-je pour juger ? On m'a d'ailleurs souvent objecté que je dénonçais cette misère parce que je voulais la parole pour moi seul. Faux. C'est juste que j'apprécie les bonnes conversations, je place très haut la valeur de la parole, la mienne comme celle des autres. Je n'aime pas l'impolitesse et encore moins le bruit.

L'être humain passe sa vie à apprendre ce qu'il savait déjà. Il sait parler, il parle, mais prend-il toujours la mesure des difficultés que cela représente ? Prend-il toujours les précautions, le soin, le temps ? Sait-il se taire, écouter, argumenter, discourir ? Pour une raison ou pour une autre, les anciens, notamment les Amérindiens, ne parlaient pas pour ne rien dire. Ils pesaient leurs mots, ils soignaient leurs histoires, alliant imaginaire et curiosité, mythes, légendes et poésie. Comme s'ils possédaient encore l'émerveillement premier, ils avaient toujours à cœur la reconnaissance du caractère sacré de la parole. C'est pourquoi il n'y avait qu'un bâton de parole, ce qui signifie qu'il existait un protocole de prise de parole. L'un commençait, l'autre suivait, l'ordre se réglait selon des principes reconnus d'ancienneté et de crédibilité. La recherche de l'éloquence, les effets de voix, le choix des mots, la musique verbale, tout cela fut très tôt mis en place dans l'histoire des humains. Ne parlait pas qui voulait et toutes les paroles ne se valaient pas.

Le langage est le propre de l'humain, tout comme le rire, tout comme la conscience réfléchie. D'ailleurs, la parole est le témoignage concret de la conscience réfléchie. L'être humain a parlé du moment que son cerveau s'est révélé. Physiquement, il lui fallait ce cerveau, il lui fallait aussi des cordes vocales. La musique de sa voix modulée, le fractionnement des sons, l'agencement de ces sons avec des images mentales, bref, l'établissement d'une communication verbale, avec grammaire, sémantique, lexique, phonétique, syntagmatique, pragmatique, cumul des concepts, réserve de métaphores, tout cela est d'une complexité infinie, d'une complexité merveilleuse – que nous maîtrisons sans avoir aucune idée de sa profondeur et de son fonctionnement. Nous parlons, sans réfléchir aux fondements de la parole. Donner sa parole, respecter sa parole, voilà bien les contrats d'origine. La tradition orale avait alors toutes ses forces et toutes ses beautés.

Je dirais que de nos jours nous avons la parole facile. Il y a trop d'images, dirait Bernard Émond. Il y a trop d'images, trop de livres, trop de paroles. Et voilà le chaos, la surcharge, la banalisation, les jurons. Tout se passe comme si le style, l'évocation, l'éloquence, le savoir, l'expérience, et j'en passe, n'avaient plus aucune importance. Nous sommes la société de la parole courte, de la « bonne ligne », une société du résumé, du superficiel, du « *get to the point* ». Venez-en au fait, monsieur Bouchard, nous n'avons pas toute la soirée !

La mort heureuse de ma tante Ida

Notre cour en gravier gris donnait sur une ruelle bordée de quelques hangars de tôle, de vieux escaliers, de pauvres balcons et, juste de l'autre côté de notre petite clôture à nous, en bois peint avec des planchettes finies en pointu, se trouvait la façade arrière d'un salon mortuaire. Nos jeux d'enfants, la bouteille, la canette, la tague, la cachette, se trouvaient parfois perturbés par l'arrivée de camionnettes noires autour desquelles s'affairaient très discrètement des hommes en noir. Morgue, corbillard, services divers reliés à la mort, même les salons mortuaires ont leurs officines, des bureaux, des fonds de boutique. Ce bout de ruelle qui se trouvait devant « la porte des morts » nous faisait un drôle d'effet. Nous n'osions pas nous y attarder, nous savions que dans ces lieux mystérieux, des corps passaient la nuit.

Ma tante Ida occupait le logement en haut de chez nous, avec son mari, l'oncle Harry, l'Irlandais silencieux qui travaillait à la Vickers. Ma tante Ida, ma grand-tante en réalité, n'avait pas eu d'enfants, mais elle avait élevé ma mère et ses trois sœurs, quand leur père n'en avait plus voulu. C'était une grosse femme, dans la tradition des grosses grands-mères à la poigne solide. Quand elle s'occupait de nous, les trois enfants de la famille, elle nous offrait toujours de l'orangeade Crush. Dans sa tête, le sucré consolait les enfants. Elle nous surveillait, toujours assise dans sa berçante, elle nous parlait de notre mère, la petite fille abandonnée qui avait cogné un jour à sa porte. Elle se berçait, elle se berçait, le plancher faisait de petits craquements. Mais un jour, alors que nous tournions autour d'elle, nous l'avons crue endormie : elle avait la tête penchée sur son épaule, elle ne répondait plus à nos appels. Elle avait cessé de se bercer. Nous, les enfants, avons découvert pour la première fois le visage de la mort.

Ma tante Ida fut exposée au salon mortuaire de l'autre côté de la ruelle. Et nous, qui avions tant joué à la balle devant cette façade effrayante, nous allions pour une première fois devoir entrer, habillés en propre, afin d'aller rendre visite au corps de notre grosse tante. Je dirais que nous étions petits dans nos souliers. La mort fait peur, elle est sans compromis. Ma tante était là, au bout d'une grande pièce, et les gens étaient assis le long des murs. Ils murmuraient en observant tous ceux qui passaient le pas de la porte. Cela sentait la poudre d'embaumeur et la forte odeur des fleurs, comme une haleine de l'au-delà. M'approchant du cercueil, je reconnus à peine le visage de ma tante, fixant plutôt ses mains jointes couvertes d'un chapelet, comme si elle entamait le rosaire des rosaires, une éternité de *Je vous salue Marie*.

Quelqu'un derrière, peut-être bien mon père, dit : « Partir comme ça, en se berçant, sans souffrir, sans trop le savoir… Elle a eu une bonne mort. » Dans mon jugement d'enfant, je trouvais la phrase juste. Nous étions avec elle au moment de son trépas. Sans un cri, sans un bruit. Une tête qui s'incline vers l'épaule, et voilà que la prise est lâchée. Dans le salon, la parenté jasait de tout pour éviter de parler de la morte. Où était-elle rendue, la grosse tante Ida, où était-elle à présent, puisqu'il était manifeste qu'elle n'habitait plus son corps ? Personne ne voulait aborder la question. La mort est un passage secret vers des lieux très exotiques. Et ce salon mortuaire, avec ces tapis de mauvais goût et ces lourds rideaux, n'en était certainement pas l'aboutissement. Nous nous réunissions tous au mauvais endroit. L'âme de ma tante Ida rôdait plutôt dans la ruelle, elle tournait autour d'une bouteille d'orangeade, elle tenait encore un peu les accoudoirs de la chaise berçante – la nuit, j'entendais le plancher craquer –, elle survolait le quartier de son enfance, le Faubourg à m'lasse, elle sautait à la corde sur les trottoirs de la rue Drolet.

Nous n'avons plus jamais eu peur des camionnettes noires et des corbillards. Car nous savions qu'il n'y avait personne dedans.

Une petite chapelle en bois

Cette image me vient parfois à l'esprit : égarée dans le cœur d'une forêt austère, une âme en peine s'inquiète et s'interroge. Une âme en peine ne se pose-t-elle pas toujours la question : garder la foi ou plonger dans le désespoir ? Le désespoir profond, c'est le frisson du non-sens, les hallucinations néfastes, le sombre délire de la panique devant la cruauté du sort ; la détresse. Devant tant de souffrance, la tentation est grande de démissionner, de tout abandonner. Mais la foi, antidote du cauchemar, est la sœur de l'espérance. Je suis perdu, il fait froid, je suis seul, mais « on ne souffre jamais qu'en attendant et jusqu'à nouvel ordre », écrit Jankélévitch. Qui sait, si vous attendez et persistez, si vous tenez assez longtemps, vous verrez peut-être apparaître, perdue au bord d'un lac, une petite chapelle en bois, la résidence de la foi, une toute petite chapelle, quatre bancs d'église à gauche, quatre bancs d'église à droite, et au fond, un mur nu, le mur de la prière. La cabane est en bois rond, l'odeur de l'épinette remplace celle de l'encens. Pour l'âme en peine, cette humble chapelle de rien du tout, perdue dans le fond des bois, a plus de valeur que Notre-Dame de Paris. Ici commence le chemin naïf de la foi.

Dieu est mort, a-t-on dit. Oui, au fil de l'histoire, nous avons tué Dieu, mais nous n'avons pas pour autant perdu la foi. Nous oublions trop souvent que l'âme est bien plus vieille que la religion. Avant Dieu, Allah, Iahvé ou tout autre aspirant au temple du monothéisme, il y avait des âmes, il y avait des esprits. En 1976, devant les représentants d'une commission d'enquête sur les autochtones dénés des Territoires du Nord-Ouest, un vieillard de Bechoko, chasseur de son métier, chaman de son état, dit aux commissaires cette phrase étonnante : « Nous, les Dénés, nous étions trop spirituels pour être religieux. » Cela dit tout : l'humain priait bien avant que l'Église ne publie ses livres de prières. D'ailleurs, dans leur travail prosélytique de propagation de la foi, les missionnaires chrétiens se désâmaient pour expliquer la foi chrétienne à des païens animistes dont le supplément d'âme était déjà beaucoup plus grand que ce que ces jésuites pouvaient imaginer.

J'ai dit et écrit cent fois que je n'avais pas été élevé dans la croyance de Dieu. Chez nous, dans notre logement isolé au milieu d'un océan de foyers catholiques, nous cultivions une sorte d'athéisme doux. Personne dans la famille n'a jamais fait cas de ces histoires de Rédemption, de Bible et d'Évangiles. Le soir, ma mère déconstruisait tranquillement le catéchisme que nous apprenions à l'école durant la journée. Nous n'étions pas tenus d'aller à la messe, la famille faisait barrage aux visites paroissiales des curés, il n'y a jamais eu de crucifix aux murs de nos chambres. Mais il ne fallait pas compter sur nous pour déclencher une guerre des religions. Tout allait bien dans le meilleur des mondes. Nous nous aimions les uns les autres.

Pourtant, durant toute ma prime jeunesse, les cérémonies catholiques m'attiraient quand même. Déchargé du poids des obligations religieuses, libéré de la culpabilité originelle, j'allais à l'église pour assister à des messes, des longues et des courtes. J'étais chaque fois transporté : j'aimais l'encens, l'orgue, l'écho, le costume très ostentatoire du prêtre, le latin, le mystère. Je ne voyais pas Dieu, mais j'étais touché par l'esprit sacré du lieu. Sans croire, j'ai appris le recueillement, la prière, le symbole, j'ai eu pleine conscience qu'en m'assoyant dans l'église je faisais un acte de foi, sans avoir à me confesser. J'y allais même durant la semaine, quand il n'y avait personne. Juste pour me ressourcer. Une épiphanie, une détente de l'esprit, une prière, mon propre marmonnement, assis devant la nef, protégé par l'impunité de la bâtisse. J'étais comme ce vieux Déné, spirituel dans l'âme ; j'étais dans une chapelle de bois, perdue au bord d'un lac sauvage, une petite flamme vacillante dans la première obscurité de novembre, et c'est cela, la foi, je crois.

Ma mère n'aimait pas les gens

Ma mère nous a montré très jeunes que la politesse était une arme. Elle détestait les familiarités, les rapprochements, les éruptions soudaines d'amitié, les déclarations intempestives de complicité, les « je suis à tu et à toi… » injustifiés. C'était une femme qui n'aimait pas les gens, et elle avait trouvé que la politesse constituait le meilleur moyen de les tenir à distance : cela les éloignait juste assez pour son propre confort. Imaginez : la politesse, selon ma mère, était une façon d'ériger un rempart pour se protéger des autres. Pas question de l'embrasser, de lui faire la bise ou de lui toucher la main, comme ça, sans avertissement. Son « vous » était assassin, son ton poli refroidissait l'interlocuteur, son regard disait : « Nous n'avons pas élevé les cochons ensemble… » Ses marques de politesse ne marquaient pas sa reconnaissance, sa délicatesse ou son attention, elles marquaient sa distinction. Dans sa tête, le « vous » n'était pas une affaire de classe sociale, c'était une affaire de classe tout court. « Avoir de la classe », c'était ne pas « être commun ».

N'entrait pas dans son cercle qui le voulait. Femme farouche, orgueilleuse et impérieuse, ma mère n'avait pour zone de tutoiement que sa garde très rapprochée, son mari, ses enfants, sa sœur, la parenté. Hors de la famille, interdiction de la tutoyer, au risque de tomber pour toujours dans la liste des individus à qui elle n'allait plus jamais adresser la parole. Un « tu » mal placé à son égard provoquait une tempête, un volcan, une brûlure. Ni la police, ni le prêtre, ni le médecin, ni le chauffeur d'autobus, ni l'infirmière, ni le supérieur immédiat, ni l'inférieur immédiat n'aurait pu briser son système de défense. À mesure qu'elle vieillissait, et elle a vieilli longtemps, cette politesse à mille tranchants lui servait de plus en plus pour affronter l'impolitesse générale du monde contemporain.

Depuis qu'il est si facile de parler « à la va-comme-je-te-pousse », nous devons réfléchir à ce que devient la politesse élémentaire. La familiarité peut réunir assurément, elle peut rapprocher. Mais il y a moult situations où elle s'en va en sens contraire. La familiarité de mauvais aloi est celle qui ne respecte pas la différence et la singularité. On ne dit pas « mon petit monsieur » à un monsieur. On ne distribue pas des « ma petite madame » à tout hasard. S'il vous plaît, quand je vais au garage ou au dépanneur, ne m'appelez pas « mon capitaine » ! La publicité qui s'adresse à moi en me disant (hurlant) « tu » me tue. Je ne suis définitivement pas du groupe cible ni du groupe d'âge. Je ne cherche pas de *buddy-buddy*, je ne fais pas la vague, je ne trinque pas avec n'importe qui.

Il y a bien sûr dans le mot *poli* l'idée de police. Or une société policée se donne des règles d'adresse et les applique en bonne connaissance de cause. Au paléolithique, le cueilleur de miel ne s'adressait pas n'importe comment au chasseur de mammouths. Il y avait un préambule. Tenir à distance, exclure, inclure, reconnaître, ignorer, rassembler, marquer les différences, étiqueter, la politesse est le code culturel par excellence. D'ailleurs, c'est bien cela, une culture, c'est un code de politesse. Ceci se dit, cela ne se dit pas, voilà le code binaire sur lequel la société normale se construit. Code d'intégration, code d'exclusion, code de conduite, protocole de sortie, cérémonie d'intronisation, nous parlons bien d'une série de formules nécessaires à la bonne marche des affaires humaines.

Chez nous, nous étions pauvres, mais nous étions polis. Il était obligatoire de dire « vous » à la vie, pour lui exprimer du respect bien sûr. Que voulez-vous, ma mère n'aimait pas les gens, mais elle tenait mordicus à ce que nous les respections.

Frères d’armes

Le visage pourpre de Trépanier le haineux

Je n'ai jamais oublié ma première journée d'école. J'étais nerveux, aux aguets, comme un jeune animal qui explore le monde inconnu au-delà de sa tanière natale. Je revenais à pied vers la maison après cette journée initiatique qui s'était assez bien passée lorsque je fus rattrapé, coin Notre-Dame et 7e Avenue, devant la quincaillerie Latendresse, par un enfant de l'école, un rouquin, tout frisé, le dénommé Trépanier. Il me bloqua le chemin, me poussa une première fois, une deuxième, avant de me coller littéralement au mur de la quincaillerie. Il avait les yeux rouges, le visage pourpre, il soufflait, je me souviens encore de son haleine, soixante ans plus tard. Sans raison, il me donna un coup de poing au visage. Ma réaction tint du réflexe plus que du courage, le petit animal sauvage que j'étais frappa en retour. J'eus la chance inouïe de le faire saigner du nez, remportant de la sorte ce combat sans queue ni raison. Tant de violence enfantine sous l'enseigne de Latendresse.

Pourquoi, mon ami, une pareille intimidation, le premier jour d'école ? On ne se connaissait même pas ! Et là, on se connaissait : tu allais être Trépanier mon ennemi, ennemi pendant six longues années d'école primaire. J'apprenais alors qu'il fallait un ennemi pour créer un héros, il fallait un ennemi pour remporter une victoire, il n'est rien comme un ennemi pour créer des liens de solidarité et renforcer l'amitié. Car, dans la cour de l'école, je m'étais fait des amis, des amis qui partageaient avec moi la liste des mes ennemis. Trépanier avait son petit groupe et il terrorisait de nombreux élèves. Nous étions les bons, eux étaient les méchants, le monde avait trouvé son sens.

Aujourd'hui, je peux remercier Trépanier d'avoir joué le rôle de l'ennemi parfait. À l'Académie de l'analyse et de la détection des ennemis, il fut le sujet idéal : je crois que le petit rouquin était plus effrayé que moi par l'école et par la vie. C'est la peur qui lui donnait ce visage, c'est la peur qui le poussait à se battre. Si nous avions partagé nos craintes plutôt que nos coups, nous aurions découvert un autre pan du monde et nous nous serions enrichis. Je n'aurais pas passé ma vie à avoir une dent contre les « roux frisés ».

La peur de l'autre est une grande architecte, elle entraîne des débordements dangereux. Associée à l'ignorance, à l'envie, à la mauvaise foi, elle peut mener loin. Deux voisins peuvent en venir aux coups à propos d'une fleur et d'une clôture. Deux familles feront la vendetta. Remarquable simplification : il y a eux, il y a nous. Voilà pourquoi les sociétés traditionnelles, jadis, avaient inventé le jeu. Il leur semblait bénéfique de substituer à la guerre une joute sportive, un tournoi, une compétition. Le match est une « petite guerre » où il devient légitime de démolir l'ennemi, le temps d'une rencontre. Mais où s'arrête le jeu, où commence la guerre ? Hier, sur mon fil Facebook, est apparue cette photographie de 1960 représentant une équipe de hockey formée de jeunes Algonquins venus jouer dans un tournoi à Normétal, en Abitibi. Il est écrit sur leur chandail : *Pensionnat indien.* L'ami Facebook qui publie la photo fait aujourd'hui amende honorable et se désole de ce dont il se souvient. Il écrit que les spectateurs avaient passé la fin de semaine à insulter les jeunes Sauvages, faisant mine de leur tirer des flèches et caricaturant les cris des guerriers indiens au cinéma. Ici, ce n'est plus un jeu, l'adversaire est un ennemi. Comment en sommes-nous venus à voir dans l'Algonquin l'ennemi de l'Abitibien ?

La formule devenue célèbre de Jean-Paul Sartre, « L'enfer, c'est les autres », donne à réfléchir. Elle invite à proposer une formule contraire : « L'enfer, c'est soi, rien que soi ! » La vie est déjà si difficile, le monde si peu sûr, l'ennemi fait partie de la famille depuis si longtemps, inutile d'en rajouter. Trépanier le rouquin n'avait aucune raison de m'agresser. Il se cherchait un ennemi pour se rassurer. Voilà le piège dans toute sa splendeur. Chez l'humain, la peur rassure. Nous nous cherchons des ennemis pour mieux nous définir. Et c'est dans nos petites colères aveugles que nous trouvons notre illusion de paix.

Les poings serrés d'un enfant sur les bancs d'école

On me pose souvent la question : où ai-je pris le parti des oubliés, quand me suis-je mis à grogner contre l'injustice profonde incrustée dans nos mémoires et nos discours ? Ma réponse est invariable. Cette colère prend sa source sur les bancs de l'école primaire, il y a soixante ans, les vendredis après-midi, pendant l'étude des livres d'histoire du Canada, récits innommables et imbuvables qui indignèrent un enfant révolté devant tant de plates épopées, tant de mensonges maladroits. J'avais huit ans et je rageais devant cette galerie de curés, ce panthéon de gouverneurs, cette file d'aristocrates à perruques, de faux héros inventés par des historiens nationaux. Je ne voulais rien savoir de l'arrivée d'un gouverneur ou d'un monseigneur à Québec, je voulais plutôt apprendre le nom du capitaine ou le nom du bateau sur lequel il s'était embarqué. Je me mourais d'en savoir plus sur les Indiens, mais à leur sujet, on ne m'a jamais rien dit d'intéressant. On parlait plus de Maria Goretti que de la Huronie. Dollard des Ormeaux, pure création du chanoine Groulx, prenait une grande place dans le récit, tandis qu'on gardait le silence sur Garagonthié, Piskaret, Kondiaronk, Anadabijou, Tessouat. Disons que j'étais plus dans le canot de Radisson que dans le fauteuil de Frontenac.

J'ai donc été en colère très jeune contre l'ordre de ma

société. Je me voyais Indien, coureur des bois, voyageur ; je n'éprouvais aucune émotion devant les titres seigneuriaux et autres particules, aucun émerveillement pour la vieille France des rois ni aucune sympathie pour la version catholique de l'Amérique française. D'instinct, je valorisais le territoire, les travaux et les jours, les explorations, l'ensauvagement, le sauvage, les hommes et les femmes que l'histoire a toujours occultés. J'allais en avoir pour mon argent. En vieillissant, je verrais ma colère se métamorphoser en élan créatif. C'est parce que je suis habité par cette injustice que je raconte l'histoire comme je la raconte. C'était bien cette colère encore qui me poussait à me battre avec mes poings serrés contre tous les intimidateurs dans la cour de l'école. Je n'étais ni fort ni gros, mais je protégeais les petits avec fougue et courage, sans trop réfléchir, m'inventant un personnage, celui du héros redresseur de torts.

La colère dont je parle a un nom terne et ordinaire : cela s'appelle la conscience sociale. Cette conscience nous dit : méfions-nous des histoires de grandeur qui sont des publireportages, critiquons le message simpliste des adorateurs du pouvoir. Démasquons les lieux communs coupables.

Je suis encore en colère aujourd'hui. En colère contre les publicités qui non seulement nous prennent pour des imbéciles, mais nous représentent à l'écran comme de parfaits crétins. En colère contre l'ignorance crasse, contre l'absence de données sur les véritables conditions sociales. Je suis en colère contre la quantification de tout, contre la logique des systèmes dits objectifs, en colère devant la perte des contenus, devant la prolifération des rires nerveux de notre monde surexcité.

Mes poings ne se sont jamais desserrés : je regarde encore la société comme un projet, comme un chantier. Nous avons toutes les occasions de nourrir notre colère devant la lenteur des travaux. L'injustice, la haine, le racisme, la terreur, le mensonge, le mépris, l'oubli, le mauvais sort, l'absurde sont autant de réalités qui habitent sournoisement notre humanité.

Je me revois sur les bancs d'école. Je ne pouvais pas savoir alors que cette simple colère contre un livre d'histoire allait devenir le carburant de toute une vie. Je n'ai jamais entretenu une grande admiration pour Napoléon. Devant les empereurs, je me garde une petite gêne. Je me serais plutôt intéressé à son courrier, ce brave anonyme qui galopait de Moscou à Paris, rapportant dans une mallette de cuir les mensonges que l'empereur voulait voir imprimés dans sa capitale. Et je ne dis rien de l'importance de connaître le nom de son cheval…

Face de Rat

J'étais un enfant quand je me suis apprécié une première fois, me trouvant convenable et normal, ne sachant trop quoi penser quand ma mère me disait que j'étais beau. Je ne la croyais pas vraiment, sachant déjà qu'une mère, n'importe quelle mère, a des manies, pour ne pas dire des manières, qui font que ses enfants sont les êtres les plus magnifiques qui soient sur la terre. De plus, la mienne était d'un orgueil démesuré quand il s'agissait de sa progéniture. Même si elle était dépourvue de moyens, elle s'arrangeait toujours pour que nous apparaissions sur les photos avec nos cheveux lissés, nos tenues soignées, comme des petits princes de la monarchie anglaise. Sa devise : « Pauvreté n'est pas excuse, il faut être beau dans le monde, encore plus beau devant le monde. » J'ai naturellement intégré ces notions. Je ne fus donc pas surpris quand une de mes tantes, la plus jeune, s'exclama un jour que nous étions en visite chez elle : « Dieu qu'il est beau, le petit Serge, oh ! mon Dieu qu'il est beau ! » En fait, elle retrouvait certainement en moi un air de famille. Car il est vrai que cela crevait les yeux : les Bouchard, mon père et ses cinq frères, étaient de très beaux hommes, du genre de ceux que l'on voyait dans le cinéma américain d'après-guerre. Des Errol Flynn, des Humphrey Bogart, des Burt Lancaster. Ces Bouchard ne venaient pas de Charlevoix et du Saguenay. Ils appartenaient plutôt à la lignée des Bouchard du Bas-du-Fleuve, Kamouraska, le Bic, Saint-Pacôme. On disait d'eux qu'ils étaient les beaux Bouchard, par opposition aux Bouchard de la rive nord du fleuve, qui sont tous laids, comme on le sait.

Dans la cour de mon école primaire, on se traitait de tous les noms : il y avait Face de Crapaud, Face de Cochon, Nez de Souris, Oreilles de Mulot et ainsi de suite. Il s'agissait de trouver un trait physique et de l'exagérer pour jouer entre nous à une sorte d'intimidation délirante. Nous devions être faits forts pour supporter ce jeu des comparaisons et des quolibets. Nous vivions dans un quartier cruel. Il ne fallait pas se croire minable parce qu'on se faisait traiter de Face de Rat. Il fallait juste apprécier l'insulte pour ce qu'elle valait, c'est-à-dire rien, ou encore se mettre à trouver les rats beaux. Entre ma maîtresse de troisième année qui me disait que j'étais beau, le plus beau petit garçon de Pointe-aux-Trembles, et la Face de Crapaud qui me traitait de Face de Rat, il y avait une décision à prendre. J'ai choisi l'œil de ma maîtresse, qui était l'œil de ma tante et celui de ma mère.

Et j'ai grandi, je suis devenu un homme et j'ai toujours appliqué la petite leçon apprise dans la cour de l'école. Je me suis trouvé beau à toutes les étapes de ma vie, mais encore, tout ce qui croisait mes plus simples intérêts devenait beau. Mes amours, mes enfants et mes petits-enfants, mes terres et mon petit tracteur, la forêt boréale, l'orignal qui marche dans l'eau peu profonde d'un lac magnifique, le loup qui le poursuit, les arbres en automne, la route isolée, les sentiers dans le bois, j'ai trouvé beaux les miens, belles les miennes, les autres aussi, chasseurs innus, truckeurs, sans jamais demander l'avis de quiconque.

J'appellerais cela de l'indulgence ontologique : puisque nous sommes, soyons ce que nous décidons, c'est-à-dire le plus beaux possible à notre propre regard. Avec toutes mes tristesses, mes douleurs, mes cicatrices, je tiens ma vie pour une traverse de beauté, une beauté toute simple, tout ordinaire. Quand je suis devenu chauve, j'ai fait l'éloge de la calvitie. Dans cet esprit, je déclare que Jean-Philippe Pleau et moi-même formons le plus beau duo d'animateurs de la Première Chaîne de Radio-Canada.

Le silence de Maurice Richard

Nous avons baigné dans cette soupe, nous, les petits garçons de la rue, les petits Bleu-Blanc-Rouge, le CH sur le cœur, une tuque de laine sur la tête, des patins à tuyau, des bâtons fêlés, les petits joueurs sans jambières, sans gants, sur des glaces souvent molles ou trop enneigées, heureux de porter le chandail avec le numéro 9 dans le dos, dehors à longueur de journée, le nez, les oreilles, les orteils gelés dur. À peine dégelés, nous ne pensions qu'à regarder le Canadien à la télévision, le vrai Bleu-Blanc-Rouge en noir et blanc. Nous étions fascinés par la glace parfaite, immaculée, si reluisante au début des périodes. Les joueurs jouaient avec des hockeys neufs, du *tape* noir parfaitement enroulé autour de la palette. Ils portaient des chandails aux couleurs magiques. Les nôtres étaient de pâles imitations ; le vrai chandail du Canadien était réservé aux joueurs du Canadien. C'eût été un sacrilège que de le mettre en vente dans le grand public.

Une partie de hockey était une cérémonie et les joueurs, des surhommes. Un jour, la rumeur courut dans le quartier que Bernard Geoffrion aurait rendu visite à des amis dans une rue près de chez nous. Nous fûmes une quinzaine de petits culs à faire le pied de grue devant cette maison, imaginant que Geoffrion pouvait soudainement revenir. Mais le seul fait que le numéro 5 du Canadien avait monté les marches de ce balcon nous saisissait d'émotion. Nous avions la foi des enfants du Brésil qui déifient leur équipe de foot. Inutile de décrire notre excitation lorsqu'on nous annonça un jour que Maurice Richard allait venir nous visiter, nous, les enfants de Pointe-aux-Trembles, à l'aréna Roussin. Nous n'aurions jamais imaginé qu'une pareille chose pouvait nous arriver, à nous, les oubliés des quartiers invisibles. Dans le registre de nos héros, Maurice Richard devançait tous les autres de plusieurs têtes.

Nous étions très nombreux à l'attendre, naïfs, innocents, béats. Soudainement, le dieu Richard apparut, chapeau sur la tête, un peu perdu dans son grand manteau d'hiver, marchant difficilement en s'appuyant sur une canne. Il était blessé à un pied, il figurait officiellement sur la liste des blessés. Cela faisait drôle de le voir dans cette tenue et dans cet état, nous qui l'avions toujours imaginé en uniforme et en action. Mais nous vîmes bien son célèbre visage, ses yeux, sa résolution profonde. Il ne parla pas, il ne dit pas un mot, et on comprenait bien que ce silence était dans sa nature. Il se tenait immobile au centre d'un attroupement criard de petits oiseaux, des petites âmes complètement saisies par cette légende. De façon inattendue, sans que je le cherche vraiment, je me suis retrouvé tout près de lui et il m'a serré la main. Je ressens encore aujourd'hui la force de cette poigne. Je n'aurais pas voulu devoir lui disputer la rondelle dans un coin.

Je sus bien plus tard, en faisant mon cours classique, que j'avais rencontré, ce samedi-là, un personnage mythique. J'avais serré la main à Achille, à Ulysse, que dis-je, à Zeus ! Oui, le Canadien nous a montré très jeunes à quoi ressemblaient le panthéon, la cité des dieux, les temples et les tragédies grecques. Mais il nous restait à apprendre une autre chose : Dieu est américain. Et comme si cela n'était pas assez comme douche froide, il a fallu intégrer une nouvelle ère : celle du crépuscule des dieux. Au fond, le hockey était du business, rien que du business. J'ai toujours pensé que le silence de Maurice Richard avait quelque chose à voir avec cela.

Tout bouge, tout branle

Depuis ma petite enfance jusqu'à aujourd'hui, j'ai eu le temps de voir quelques transformations. Déjà, dans les contes et comptines des vieilles mémoires européennes, les princes se changeaient en grenouilles, les princesses en citrouilles, nos petits livres pour enfants étaient remplis de métamorphoses magiques, la mère morte renaissant en chevreuil, le loup se déguisant en grand-mère. Plein d'animaux étaient dotés de la parole. Plus tard, dans nos jeux, nous avons vu que tout cela était possible dans la nature. Nous avons joué avec de vilaines chenilles jaune et noir, poilues et velues, qui avaient des petites pattes de la tête à la queue. Elles se suspendaient aux branches et formaient un cocon. Et nous savions que de ces cocons allaient sortir des centaines de papillons. Nous avons vu dans les mares des milliers de têtards. Nous savions qu'ils allaient devenir des crapauds.

Ces transformations nous touchaient aussi, dans notre propre vie. Jeune, j'étais un très beau petit homme, avec des cheveux noirs. J'aurais bien aimé qu'il en soit ainsi pour le reste de mes jours, mais il a suffi de quelques nuits blanches dans la vingtaine pour que je les perde, totalement, jusqu'au dernier. De chevelu, je me suis transformé en chauve. D'ailleurs, je suis ressorti de mes aventures de jeunesse complètement transformé. J'étais encore beau, certes, mais le look n'était plus le même. J'ai compensé ma perte de cheveux par une barbe qui ne m'a pas quitté depuis. Toutefois, même cette barbe a subi des transformations, barbe noire est devenue barbe blanche. J'étais un élève médiocre, un grand détestateur de l'école. Une fois encore, le temps venu, sans que je sache comment, j'ai mué, je me suis retrouvé dans une salle victorienne de l'Université McGill à soutenir une thèse de doctorat.

La transformation tient à l'aventure du devenir. Tout bouge, tout branle, dirait Montaigne, et nous ne pouvons pas nous agripper à un moment particulier. Le Britannique qui a couru en premier le mille en moins de quatre minutes, Roger Bannister, est mort il y a peu à l'âge de quatre-vingt-huit ans. Sur ses dernières photos, ce grand coureur est dans une chaise roulante. L'âge l'a transformé, le guépard a perdu ses jambes. Il aura été comme cet orme plusieurs fois centenaire qui a marqué le paysage de la Grande Allée, à Québec, et qui est mort au début des années 2000, à bout d'âge. Le temps est le grand transformateur.

Les paysages changent, les vallées se creusent, les rivières se détournent. Mon père a vécu à l'époque où l'édifice de la Sun Life à Montréal était l'immeuble le plus haut de l'Empire britannique. La ville affichait presque exclusivement en anglais, elle était alors la métropole du Canada. Mon père a vécu sa jeunesse sans qu'il y ait aucun avion commercial dans le ciel. Il a vu apparaître et évoluer le téléphone, la radio, la télévision. Lentement, la métropole s'est illuminée, s'est transformée, mon père a vu les débuts des Canadiens de Montréal, des Royaux au stade De Lorimier, la multiplication des voitures américaines. La transformation radicale de la vie aura été la signature du XXe siècle, que mon père a vécu en sa presque entièreté. Dans les années 1950, les voitures américaines, justement, changeaient de forme chaque année, les manufacturiers rivalisaient d'audace dans le design des ailes, des profils, des formes extrêmes. Rappelons-nous la Monarch 1958.

Justement, le monarque était un papillon, le plus beau que nous puissions observer dans l'est de la ville. Je ne sais pas ce que sont devenus nos crapauds et nos grenouilles, nos nids de fourmis, ni même nos rêves de nous transformer en cowboys, en Radisson ou en Indiens, le temps d'ajouter une pièce, un chapeau, une plume à notre costume. Le monde d'aujourd'hui est tout sauf quelque chose de précis : l'Homme-Araignée a remplacé le prince Grenouille, Wonder Woman la Belle au bois dormant, et le palais de Black Panther la case de l'oncle Tom.

Depuis mes premiers pas, le monde, il a bien changé.

Frères d'armes

J'avais dix-huit ans, imaginez la forme. Je sortais à peine d'une jeunesse tout en vélo, tout en courses, une enfance pleine de patinoires, de joutes de hockey, de baseball, pleine de poursuites et de combats simulés, de culbutes, de fouilles, d'essoufflements. J'avais un corps, je n'y pensais même pas. Nous finissions l'année de belles-lettres du légendaire cours classique, fin prêts à entreprendre la rhétorique. C'était l'époque de tous les plaisirs, effronteries et délinquances. Nous avions parmi nous un champion, un prodige du sport, un Mozart de la balle, un génie de la course et de la créativité. Je parle de Claude Mailhot : il jouait au baseball pour les Braves d'Ahuntsic et détenait tous les records de la ligue junior de la ville de Montréal. Au collège, il excellait au basketball malgré sa taille modeste. Il gagnait tous les tournois de petites quilles, tous les tournois de ping-pong. Il en était agaçant et c'était mon ami. Grand golfeur, il aurait pu devenir un professionnel.

De toutes les organisations sportives de notre établissement, c'est l'équipe de football qui avait le plus de prestige. Claude, tout naturellement, est devenu le meilleur joueur de la ligue intercollégiale à la position de porteur de ballon. Nous, ses amis moins doués, avons décidé de le rejoindre sur le terrain. Pendant trois ans, j'allais jouer au football américain pour les Kodiaks de Mont-Saint-Louis. Quand je regarde les vieilles photos, je revois clairement la nature de la chose : le casque de football, le protecteur facial, mon numéro 30 de centre-arrière, l'uniforme, l'expression du corps, l'expression des yeux. À propos du champion, mon ami Claude, il n'y a pas grand-chose à dire : chaque match était pour lui une occasion de fracasser des records, d'enrager l'adversaire, de briller de tous ses feux. On ne peut rien contre le génie, le talent, la surdouance. Mais pour nous, pauvres soldats de l'ombre, la partie n'en était pas moins extraordinaire. Nous formions une équipe, c'est-à-dire une famille, une tribu, une fraternité. Tant de testostérone dans un cercle de solidarité, cela se remarque. Notre totem, l'ours kodiak, était devenu l'emblème sacré de notre bande.

De ces trois saisons, je garde des souvenirs très forts. J'entends les cris de ralliement, les cris de douleur, les cris de joie. Je sens encore l'odeur du gazon mouillé, de la bouette automnale, la belle lumière des dimanches d'octobre. La foule qui encourage, l'adversaire qui intimide, tes frères d'armes qui te rassurent, les yeux rougis par les coups et les contrecoups, les hurlements des joueurs de ligne, le bruit sec des casques qui s'entrechoquent, la peur de perdre du terrain, d'échapper le ballon, de rater un bloc, la dureté absolue du jeu. Nous étions des garçons, nous devenions des hommes, et nous jouions à ce jeu qui aurait dû s'appeler : *aller à la guerre ensemble.*

Le champion, mon ami Claude, a toujours préféré l'amitié de ses camarades à la solitude flamboyante de sa propre gloire. Il me consolait quand j'échappais le ballon, quand je me faisais assommer par le joueur d'en face qui était plus fort que moi, quand j'étais blessé. Et il s'arrangeait pour que nous, les sans-grade, ayons l'impression d'avoir compté autant de points que lui, gagné autant de verges que lui, d'être nous aussi des champions, par amitié interposée. Cette équipe de football était un traité des vertus. Personnellement, je n'étais ni très bon ni très compétitif, mais j'ai joué. La petite guerre fut en somme l'expérience de l'obstacle, de la persévérance, de la défaite, de la victoire, du rebondissement, du relèvement, du contournement, du sacrifice ; le sacrement de la solidarité. À partir de là, je m'en suis allé, cigarette au bec, faire de l'anthropologie et de la philosophie.

La plénitude du vide

Il est difficile d'être un vieux sage chinois. D'abord, il faut être vieux, ensuite être chinois, et ce n'est pas tout : il est encore nécessaire d'atteindre l'état de sagesse, tout simplement. Réunir ces conditions représente un grand défi. Pour être vieux, il faut vieillir, ce qui demande de ne pas mourir prématurément. Pour être chinois, naître en Chine ne nuit pas. Mais pour être sage, il n'y a rien à faire.

Jadis, au temps de mon collège à Montréal, je prenais beaucoup l'autobus. Nous devions passer trois heures par jour dans les transports publics, seulement pour aller à l'école et revenir à la maison. Je détestais voyager dans un autobus bondé, le monde debout, le coude à coude, les vitres embuées, et le chauffeur qui hurlait : « Avancez en arrière ! » C'est alors que j'ai compris la différence entre les pleins et les vides. Car je rêvais de monter dans un autobus vide pour profiter de l'espace et pouvoir prendre mes aises. Les rares fois où cela arrivait, cette parenthèse de l'autobus vide aiguisait ma sensibilité, je pouvais observer le chauffeur, remarquer les arbres et les poteaux le long du trajet, je relevais les détails du véhicule, le bruit du moteur, son démarrage, sa décélération, les hoquets de la transmission. Immobile sur mon siège, j'étais attentif à la vie, aux gens, à la rue, au ciel, à la lumière, au temps qu'il faisait. Aujourd'hui encore, cinquante ans plus tard, je me souviens de mes grands yeux ouverts, de mon émerveillement naïf et de la sensation du voyage. Aucun Boeing ne m'a jamais transporté à ce point. Car il n'est rien de plus lourd, rien de plus plein qu'un gros porteur qui s'envole. Beaucoup de bruit, beaucoup de monde, des heures et des heures de claustrophobie et des tonnes et des tonnes de gravité : ce réservoir de kérosène consumé dans l'air nous paralyse la conscience.

L'harmonie du monde tient à ce simple principe : tout ce qui doit être vide doit être vide tandis que tout ce qui doit être plein doit être plein. Le frigo doit être plein, le réservoir d'essence doit être plein, autant que le portefeuille. Cependant, à l'inverse, il faut vider le lave-vaisselle, vider son sac, vidanger l'huile, car il y a bel et bien l'idée du vide dans le mot *vidange*. Ainsi, nous passons notre temps à « faire le plein », à « faire le vide ». Le déséquilibre survient lorsque les genres se mélangent, que l'estomac est vide et que la coupe est pleine, lorsque le vide se répand dans des lieux qui devraient être pleins, ou que le plein envahit les espaces qui devraient être vides. Regard vide et yeux pleins d'eau, voilà l'essentiel du grand malheur.

Un jour, Bernard Arcand et moi avons fait une causerie devant une salle vide. En fait, c'était le soir. Oui, nous attendions le public, mais celui-ci ne s'est jamais montré le bout du nez. Lorsqu'est venue l'heure de nous exécuter, nous nous sommes retrouvés tous les deux devant des rangées et des rangées de sièges vides. Stupéfait, un peu dépité, très humilié, je dis à Bernard : « Partons, prenons comme un cadeau cette situation gênante et allons faire le plein ailleurs, dans un bar pour auteurs découragés. Mais surtout, gardons cet échec secret. » Et Bernard de me répondre : « Au contraire, respectons l'engagement, lisons nos textes jusqu'à la dernière ligne. Il n'est rien comme le vide pour véritablement mettre à l'épreuve nos capacités. Faisons comme si la salle était bondée de monde. Pouvoir dire que nous avons donné une pleine représentation devant une salle vide, déjà, ce n'est pas rien. Et surtout, pas de secret à ce propos, car c'est une belle histoire à raconter ! Il y a une noblesse dans l'absurde, dans le ridicule et dans l'inutile. Il faudra se souvenir de ce grand moment, de cette soirée rare où ensemble nous avons affronté le vide. » Bernard n'était ni vieux ni chinois, mais il était sage.

Le sage reconnaît la plénitude du vide autant que l'importance des intervalles. Dans l'autobus vide, au long de ses trajets entre l'école et la maison, dans la routine de ses départs, la régularité de ses arrêts, j'apprenais la grandeur du vide, sa profondeur, son importance. Depuis, j'ai toujours recherché ces moments privilégiés entre deux instants. La meilleure façon de se déplacer est de rester immobile, de garder le silence et d'ouvrir grands les yeux. On ressent alors la vitesse du déplacement de la Terre autour du Soleil, le voyage du Soleil dans le vide, la fuite de la galaxie dans l'intergalactique. Ces vitesses sont extraordinaires, les distances sont inimaginables. Et Lao-tseu dira : « Voilà la Voie. »

Lonesome cowboy

Lorsque le cowboy solitaire a fini de nettoyer le village, lorsque, au terme de terribles combats singuliers, il a libéré la communauté de tous les méchants, que les cadavres des bandits gisent sur le sol poussiéreux de la rue principale et que les honnêtes gens sortent lentement des commerces en murmurant leur étonnement et leur reconnaissance, alors survient, pour le justicier, l'heure du choix. Sur le trottoir, il y a cette femme qui a suivi les exploits du héros, une femme qui s'est inquiétée pour sa vie, une qui l'aime d'un grand amour et qui sait la solitude de cet homme, son immense besoin d'être consolé. Et il y a le cowboy lui-même, qui n'est pas insensible aux sentiments de la femme, qui pourrait l'aimer en retour, tant il aurait besoin de souffler un peu, tant il aurait besoin de chaleur humaine, maintenant que la paix est revenue. Il lui serait possible de s'installer à demeure, de fonder une famille, d'élever des moutons. Mais non. L'idée lui effleure peut-être l'esprit, mais son destin l'appelle, plus fort que tout. Il monte sur son cheval, il ne prend même pas le temps de dire un mot à qui que ce soit, ne regarde pas derrière ; il quitte le village, s'enfonce lentement dans le désert, en direction du soleil couchant.

Cet homme mythique est le symbole de la liberté. Il représente le détachement absolu. Il ne parle qu'à son cheval qui, lui, n'a pas grand-chose à lui dire. Voilà l'homme léger, le nomade qui voyage sans le moindre bagage, pas même une valise, pas même un parapluie. Est-il heureux ? Je ne voudrais pas avoir à répondre à cette question. Il fuit peut-être son passé, il fuit des ombres et des fantômes, sa liberté pourrait bien être une évasion pathétique. La nuit venue, seul auprès de son maigre feu, une couverture sur le dos, il allume une cigarette et se demande : j'ai libéré ces gens du joug des oppresseurs, mais qui me libérera, moi, de mes peines ? Lui et son cheval portent ce qu'on appelle le fardeau de la liberté. Que se passe-t-il, en effet, quand la liberté devient une prison dont on ne peut plus sortir ? Libre à perpétuité, condamné à errer sans port ni attache, à dériver dans le vide, libre d'aller à gauche, à droite, sans que personne infléchisse votre décision parce que personne ne se soucie de votre direction. La liberté absolue se rapproche étrangement de la solitude absolue.

Sommes-nous faits pour être libres… de cette liberté-là ? Notre cowboy aurait besoin d'amour, mais il sait que l'amour aliène, le devoir aussi, et qu'à partir du moment où on s'engage, on a l'âme liée. Se peut-il que la vraie liberté ne se réalise qu'en lien avec les autres, attaché ? Il est difficile, pour un cowboy assis auprès d'un feu, seul dans la nuit, n'ayant pour compagnons qu'un cheval taciturne et une cigarette aplatie sortie de sa poche arrière, de résoudre cette énigme. Vous aurez remarqué que le comédien qui joue le rôle du cowboy justicier n'a en général que très peu de texte à apprendre. Car le personnage est toujours un homme de peu de mots, il tait son angoisse puisqu'il n'a personne à qui se confier, hormis son cheval. Or son cheval et lui savent bien que tout à l'heure, il n'a pas été libre de soutenir le regard amoureux de cette femme sur le trottoir de la rue principale. Il lui a fallu repousser l'idée de retourner parmi les humains, d'aimer, de s'attacher, de construire une maison, de planter une clôture, et de s'attaquer avec courage aux routines ordinaires de la vie de famille.

Dans ma jeunesse, j'ai voulu être ce cowboy, ermite en cavale, justicier silencieux. Mais dans la rue principale de Pointe-aux-Trembles, une paire d'yeux noirs a fait vaciller les pattes de mon cheval. Vingt-sept ans plus tard, devenu veuf, j'ai encore espéré cette liberté sauvage, essayant de m'évanouir dans la nature. Au sortir de la ville, à la première auberge venue, un scotch à la main, j'ai buté sur les beaux yeux de l'aubergiste, et ainsi de suite, le temps a fait son œuvre. Le cowboy Marlboro est mort d'un cancer du poumon, pow-pow t'es mort, tandis que moi, je l'ai appris à la dure, je suis un homme mort quand je suis sans amour. La liberté est un mythe et c'est bien, très bien comme ça.

À un vieux maître

J'ai passé ma vie à parler aux arbres. Le premier, je m'en souviens, ne vivait pas dans la forêt, c'était un orme solitaire, un individu gigantesque, une pièce de plus de trois cents ans, une colonne qui avait poussé sur les rives du Saint-Laurent, à Pointe-aux-Trembles, depuis l'époque de Champlain, peut-être même des Iroquoiens. Il se trouvait orphelin de sa forêt d'origine, lui qui trônait, malheureux, au bout d'un terrain vague, entre deux bâtisses laides comme le monde. Mais quand même, le gamin que j'étais ne manquait jamais l'occasion d'aller lui rendre visite, à vélo ; je m'entendais le consoler, mais je l'entendais surtout réfléchir. Bien assis à ses côtés pendant des heures, je m'évadais dans ses souvenirs : une forêt vive et enchantée, le souffle intense de la vie, des hivers et des hivers, des tempêtes de vent, de longues accalmies, des amitiés tissées entre l'érable et les peupliers, la fougère, une tanière de renards et ce fleuve qui n'arrête jamais de couler. Mon orme se rappelait même les années de sa propre jeunesse, alors qu'il poussait à l'ombre d'un vieux chêne qui lui avait tout appris et qui, rendu à bout d'âge, une bonne tranche de vie, disons mille ans, avait fini par mourir et se renverser, donnant à l'orme jeune tout un ciel à occuper. Enfin, c'est lui qui me l'a raconté. Non, je ne me suis jamais ennuyé avec cet orme, mon ami, mon tuteur en quelque sorte.

Hélas, mon vieil orme connut un bien triste sort. Un beau matin d'été, alors que j'allais le voir comme à mon habitude, je me suis retrouvé en état de choc : on venait d'abattre le vieillard, d'abattre le géant, de mettre à terre une tonne de souvenirs, de brûler des livres et des livres d'une bibliothèque primale, d'effacer une mémoire irremplaçable. Sa coupe était inutile, il ne dérangeait personne. Mais il fut quand même victime du progrès. Entre les deux bâtisses rendues encore plus laides par sa disparition, on transformait le terrain vague en un moderne stationnement, asphalte noir à la clé, lignes blanches pour se stationner, rappel de l'empire des angles droits. L'orme, je l'ai dit, ne dérangeait personne, au bord de l'eau, juste au bout du parking. Mais on a voulu quand même le faire disparaître, on craignait que ses branches les plus hautes ne s'abîment sur le toit des précieuses automobiles ou sur la tête de leurs propriétaires.

C'est ainsi que disparaissent les forêts imaginaires, que meurent les forêts mémoires qui ont jadis existé ; c'est ainsi que l'on instaure le régime de l'amnésie, la loi de la grande surface. Le monde alors est une mince couche de bitume. Depuis ma jeunesse, je crois que j'ai autant aimé les forêts disparues que les forêts de bois debout. À l'image de cet orme qui fut réellement mon maître, je me suis fait des amis partout sur le territoire du Québec, une grande épinette blanche le long de la 117, deux autres sur l'autoroute 40, et ainsi de suite de Rouyn à Gaspé. Et quand je possédais des acres et des acres de forêt laurentienne, je connaissais beaucoup d'arbres personnellement. Et j'espérais faire de mon bois une forêt ancienne.

Quand je repense à mon orme aujourd'hui, je me dis que l'abattre fut peut-être une bonne chose. Il avait certainement froid, il s'ennuyait de sa forêt natale, il détestait la brique terne des deux bâtisses muettes, il y a une limite à la solitude de l'orme. Je pourrais vous raconter la même histoire à propos des petits bois oubliés du Bout-de-l'Île, ceux qui avaient échappé aux promoteurs, aux cultivateurs, aux développeurs, à l'industrie, aux faiseurs de terrains vagues. Je pense au bois de la Réparation, qui porte si bien son nom.

La leçon de mon père

Mon père était américain

D'aussi loin que je me souvienne, mon père aimait les États-Unis. Il s'identifiait à la musique populaire des Américains, à leur cinéma, aux sports, il carburait aux allures et aux parfums de l'Amérique de l'avant-guerre, de l'Amérique de l'après-guerre, il ressemblait comme deux gouttes d'eau à Humphrey Bogart. C'était un *homo urbanis,* un humain de la ville, et, hormis Montréal, sa ville de référence était New York, un point c'est tout. Cela tombait bien puisqu'il pouvait s'y rendre comme il le voulait, toujours en automobile. Mon père était un vrai routier, il n'est jamais monté dans un avion. La Grosse Pomme lui allait comme un gant. Il aimait le jazz, le swing, le Madison Square Garden. Une fois au sud de la frontière, il fumait des Lucky Strike. Bien qu'il n'ait jamais vraiment fréquenté l'école, mon père parlait fort bien l'anglais. En fait, il parlait l'américain avec l'accent de New York, gestuelle et mimiques en prime. Au volant de sa Pontiac, une vraie voiture américaine, il en remontrait aux chauffeurs de taxi new-yorkais. Il dansait dans le trafic, il aimait cette animation, cette désinvolture, les marquises illuminées, la foule qui déambulait sur les trottoirs, les *delicatessens.* Fou de boxe, il vouait un culte aux Rocky Marciano et aux Joe Louis de ce monde. En musique, Louis Armstrong était son grand favori. Aujourd'hui, lorsque les gens me rendent visite dans ma maison huberdienne des

Laurentides et qu'ils aperçoivent la photo de mon père bien en vue sur l'armoire, ils me demandent naturellement si je voue un culte à Jack Nicholson. Eh bien non, c'est juste que mon père, en vieillissant, ressemblait de moins en moins à Bogart mais de plus en plus à Jack Nicholson. Il était pareil, c'était Nicholson en peinture, pareil, pareil.

La mère de mon père, ma grand-mère paternelle, se prénommait Cécile et elle était originaire de la Nouvelle-Angleterre. Ce n'était pas une femme des manufactures, c'était plutôt une femme des bois. Elle était probablement mi-Ouellet, famille de bûcherons du Maine, mi-Narragansett, nation amérindienne abénakise du Massachusetts, bien que jamais la chose n'ait été dite dans la famille. Une Canadienne française, une Franco-Américaine, une iskweu abénakise, nous n'avons jamais su ce qui la tracassait dans la vie. Elle avait mis au monde sept fils et une fille. Femme de peu de mots, elle s'en est allée sans que nous sachions rien d'elle. Ne restent que quelques photos où elle ressemble à ces femmes dures qui se tiennent droites sur le palier de leur taudis, aux époques pauvres de l'Amérique du Midwest, une grand-mère métisse, rebelle et indomptable. Elle avait marié ce Bouchard, charretier, maître des chevaux dans les chantiers, qui a fini ses jours comme gardien d'un clos de bois dans le nord de la ville de Montréal. Ils s'étaient rencontrés dans les forêts et les sommets des Appalaches, en 1900, dans le monde des Henry David Thoreau et Walt Whitman.

L'Amérique des Américains a mille visages. Ces visages sont grandioses, sauvages, ils sont méchants, ils sont beaux, souvent bizarres et étonnants. Tous ces masques ont droit de cité. Le rêve américain n'est pas tant de faire fortune, d'atteindre la gloire, de posséder le pouvoir. Le rêve américain serait plutôt de voir autorisé le mythe. L'identité relève autant de l'imaginaire que de la mémoire. Ici, on construit et on forge son propre mythe. En Amérique, il devient possible de choisir son mensonge.

Jeune, mon père avait tenté sa chance dans la lutte amateur. Il avait choisi le nom de Ernie Bouchard, maître de la prise du grappin. Il ne faisait pas le poids et sa carrière avait été très courte, mais il avait quand même rêvé d'une couronne à sa ceinture. Dieu sait que ces quelques combats ont fait l'objet de mille récits. Car mon père mythifiait tout ce qui lui arrivait, c'était un fabulateur ambulant. Rien n'était vrai, mais tout était beau, à commencer par lui-même. Pour métier, il avait choisi la route, pour ne pas avoir à obéir à quiconque, pour ne pas avoir à négocier son temps de penser. C'était un rêveur.

Car qui était vraiment mon père, finalement ? Je n'en saurai jamais rien. Il ne se résume certainement pas aux caricatures identitaires des historiens de la culture. Voilà un Canadien français de 1940 qui n'a jamais craint Duplessis, ni le cardinal Léger, ni l'enfer, ni le diable, ni l'argent, ni la route, ni la ville, ni la grande ville. Il parlait très bien sa langue maternelle sans pour autant avoir été à l'école du bon parler français, il était athée et cosmopolite, prêt à perdre tout sauf sa liberté de penser. C'était un rêveur d'Amérique comme de nombreux Canadiens au fil de l'histoire. Dans sa géographie à lui, disons « sur sa map », ne figuraient pas les châteaux de la Loire, ni ne coulait la Seine sous le pont Mirabeau. J'imagine plus mon père s'arrêtant pour dormir dans un motel du Missouri ou en train de jouer au pool à Cincinnati qu'en train de lire un journal au Café de Flore, à Paris.

Il aimait tellement la boxe

Il revenait le vendredi soir, vers vingt-deux heures, à bord de son taxi Diamond noir, un Chevrolet. En plein hiver, il revenait du centre-ville où il avait travaillé toute la journée à poursuivre des clients, à les conduire et reconduire, dans la grisaille et la gadoue, pour un maigre profit, quelques billets fripés, des dollars fatigués de passer de main en main, de poche en poche. C'était d'ailleurs l'époque de l'argent de papier, des « un dollar », des « deux piastres » roses, une époque où un « cinq » représentait une bonne somme. Et lui-même, Roméo, le chauffeur de taxi, était fripé comme ces billets, usé comme ces sous noirs, il avait apprivoisé cet état de fatigue comme s'il était normal et naturel d'avoir mal au dos, de manquer de sommeil, de manger sur le pouce, de ne pas voir ses enfants, sa famille. Comme s'il était normal de travailler seize heures par jour, sept jours par semaine, derrière un volant, livré aux humeurs des clients, du lundi au lundi, nuit après nuit, pour finir chaque vendredi avec une maigre liasse dans ses poches, juste assez pour vivre.

Mais le vendredi soir justement, il faisait le long trajet du centre-ville vers Pointe-aux-Trembles pour voir à la télévision le programme de boxe du Madison Square Garden, diffusé par la chaîne anglaise de Radio-Canada qui retransmettait le signal d'une chaîne américaine. Après avoir remis à ma mère l'entièreté de ses gains, il s'assoyait devant le téléviseur en noir et blanc, lâchant un soupir de bonheur. Une heure de boxe. Une heure où il décrochait, où il planait. Il connaissait tout du sport, des grands combats, des boxeurs de légende. Jack Dempsey, Rocky Marciano, Joe Louis, Max Schmeling, il déclinait ces noms en racontant un tas d'histoires. « Tu sais, Marciano, il n'a jamais perdu un seul combat de toute sa vie, c'est une légende, le plus grand de tous les temps. » Il regardait se dérouler les affrontements avec un œil de connaisseur, voyant venir à l'avance les K.-O., comme s'il jugeait chaque ronde, chaque coup, appréciant les forces et les faiblesses des pugilistes. Il voyait ce que nous ne voyions pas, la quintessence de ce sport.

Après son court moment de bonheur du vendredi soir, il se levait du fauteuil, prenait un café, embrassait ma mère, saluait ses enfants qui étaient encore debout et bien éveillés, et s'en retournait dans la nuit, pour quelques heures encore de taxi, quelques dollars de plus. À l'aube, il revenait à la maison le temps de dormir un peu, en rêvant de boxer lui-même, se voyant dans le ring en train de mettre K.-O. tous les affreux et les affronts qu'il subissait dans sa propre vie.

La vie est un combat, deux hommes dans l'arène. Cette mise en scène sportive est bel et bien la métaphore ultime. Mon père était un danseur, il évitait les coups. Au *jab* et à l'*uppercut*, il préférait la ruse et l'évitement, la retenue, question de ne pas réveiller l'adversaire. Il tournait autour de la dureté du monde comme Charlie Chaplin, dans ses célèbres scènes de boxe, tournait autour du gros cogneur. Si jamais ce dernier avait pu l'atteindre, il aurait écrasé le pauvre Chaplin comme on aplatit un maringouin. Mais justement, cela n'arrive pas. Chaplin réussit à éviter tous les coups, par la magie, la danse, les pitreries géniales. Trop rapide pour le poids lourd. Trop fin pour le lourdaud. Voilà pourquoi, plus tard, lorsque vint sur terre le dieu de la boxe, Mohamed Ali, mon père retrouva la foi. « Regardez cet homme, disait mon père, son visage est sans blessure, sans enflure, sans cicatrice. Personne ne l'atteint, rien ne l'atteindra jamais. Par son jeu de pieds et ses petits coups répétés, il épuise les géants. Il voit tout venir, il devine, il évite et il esquive. Il se joue de l'adversaire comme on se joue de l'adversité. »

Une auto dans l'entrée

Mon père m'a enseigné de bien drôles de choses. Pendant plusieurs années, les dernières de sa vie, il a vécu dans un beau logement juste au-dessus du mien. De son balcon entre les géraniums de ma mère ou de sa fenêtre en tirant les rideaux, il vérifiait toujours si ma voiture était stationnée dans l'entrée. C'était une obsession. « Lorsque je vois ton auto dans l'entrée, disait-il, je sais que tu ne travailles pas, que tu ne fais pas d'argent... Quand ta voiture est partie, pendant des jours ou toute la semaine, je sais que tu fais ton travail d'anthropologue sur le terrain, je sais que tu fais des heures. »

Mon père voyait le monde à travers la lunette d'un certain temps, le temps du travail à l'heure. Plus tu fais d'heures, plus la paye est bonne. Il ne s'est jamais vraiment intéressé à la tâche, même s'il a été une bonne partie de sa vie chauffeur professionnel et conduisait remarquablement bien son automobile. Ce qu'il recherchait, c'était accumuler les heures, enfiler les kilomètres et compter son butin. On ne peut pas dire qu'il était ambitieux : il préférait conduire le véhicule plutôt que diriger la compagnie, mais il avait une tranquillité d'esprit et une sagesse qui, en ce monde de tournois et d'agendas, ne sont pas la moindre part de son héritage.

Devenu vieux, mon père a sans cesse repoussé le moment de sa retraite. Dans la soixantaine, il a été agent de sécurité au port de Montréal. « Recevoir une paye pour regarder couler le fleuve seize heures par jour, disait-il, c'est le paradis ! » Pour lui, il n'y avait que le courant du fleuve, que des heures, que du temps à écouler. Je crois qu'il avait soixante-quinze ans lorsque le centre de Boscoville l'a remercié de sa fonction de préposé à la réception et de gardien. *Remercié* est le bon mot et il faut l'entendre dans son sens le plus beau. Roméo Bouchard était heureux dans sa petite guérite, derrière son petit bureau, heureux d'accueillir les gens. Il accumulait les heures.

Une fois à la retraite, ne pouvant se résoudre à rester à la maison, il s'est porté bénévole pour le transport des jeunes de Boscoville. Il les conduisait à leurs rendez-vous médicaux, à l'hôpital Maisonneuve, à l'hôpital Notre-Dame ou dans les cliniques aux alentours. Cependant, vers quatre-vingts ans, il a dû se résoudre à « accrocher ses clés de voiture », un peu comme le joueur de hockey accroche ses patins. N'allez pas croire qu'il en ait fait une dépression, il était sage, je vous l'ai dit. Mon père avait fait son temps, littéralement parlant. Il ne pouvait plus ajouter d'heures à son butin.

Alors il regardait ma voiture dans l'entrée. Un peu comme ce vieux cultivateur qui, assis sur sa galerie, regarde son fils mener les travaux de la ferme familiale. Il cherchait à savoir si le compteur continuait à tourner, du côté de son fils. Ensemble, nous discutions de l'odomètre de ma voiture. « Tu as roulé soixante-dix mille kilomètres cette année, bravo, c'est une de tes bonnes saisons ! » Il faisait peu de cas de mes écritures, de mes conférences, il ne retenait que le temps passé sur la route. Et quand je lui disais que j'étais fatigué, que j'aimerais tellement que mon auto se repose dans l'entrée, il répondait : « Ne te plains pas, tu es dans tes meilleures années. »

J'ai maintenant soixante-dix ans et mon auto n'est pas souvent dans l'entrée. J'ai fait rouler ma dernière jusqu'à cinq cent mille kilomètres et j'en ai reparti une nouvelle. Mon père serait fier de son fils. J'ai bien intégré ce grand principe de la philosophie grecque que, sans le savoir, il m'a transmis : « Entre naissance et mort, il faut bien s'occuper. »

L'allume-cigarette de la Chrysler noire

Je n'ai jamais vu mon père en colère. Il ne nous a jamais menacés ni regardés avec de gros yeux en parlant fort. Il ne cherchait jamais un coupable quand nous faisions des mauvais coups ou que survenait un accident. Il riait, il dédramatisait, il marmonnait, c'était un praticien du réconfort. Si nous brisions quelque chose, une tasse, un bibelot, il cherchait d'abord à savoir si nous nous étions blessés, si nous avions eu peur. Il nous rassurait d'urgence. Pour lui, le cœur d'un enfant était plus précieux que de la porcelaine, du cristal, que tous les objets du monde, y compris son automobile.

Je me souviens de cet épisode qui aurait pu être dramatique aux yeux de plusieurs. Nous, les enfants, avions découvert une nouveauté sur le tableau de bord de la limousine dont mon père a été pour un temps le chauffeur. C'était un allume-cigarette. Quelle fascination de voir ce petit cercle incandescent, ce petit bout de feu qui apparaissait quand nous retirions le briquet après l'avoir enfoncé dans le tableau de bord ! Un jour, seuls dans la voiture, excités par ce tison électrique, mon frère et moi, allez savoir pourquoi, nous avons fait des trous dans les banquettes en brûlant l'étoffe. Lorsque mon père a constaté le désastre, il n'en a pas fait un plat. Je me souviens très bien qu'il cherchait surtout à nous protéger du courroux de notre mère. Il plaidait l'innocence de l'enfance.

Il avait même un petit sourire narquois, si je me souviens bien. Car, n'en doutez point, mon père était un homme révolté, si révolté contre la marche du monde humain qu'il s'est arrangé toute sa vie pour ne jamais marcher au pas. Il n'avait cure du carrosse de son patron, il aurait peut-être lui-même fait des petits trous dans la banquette si la nécessité de gagner sa vie et l'obligation d'agir en adulte ne l'avaient pas retenu. Nous étions en quelque sorte sa vengeance. C'était un homme doux, il n'a jamais élevé la voix, qu'il avait belle par ailleurs. La colère de sa révolte consistait à mettre les autres en colère, ceux qui lui donnaient des ordres ou des leçons, ceux qui croyaient le dominer. Mon père faisait toujours le contraire de ce qu'un donneur d'ordres lui disait. Il ne rechignait pas, il n'argumentait pas, il ne se défendait pas. Il partait simplement, en faisant comprendre à son supérieur qu'il n'était le supérieur de personne. Le chauffeur qu'il était reprenait sa route, libre, délinquant, tête heureuse. Certains diraient que cet homme était un grand irresponsable. Je crois au contraire qu'il était le plus conséquent des hommes. Il aimait ses enfants, tous les enfants, et ces derniers le lui rendaient bien. Pourquoi les enfants allaient-ils à lui ? C'est qu'il inspirait confiance. Nous n'avions pas à craindre son humeur, il ne faisait peur à personne. Tout pour un sourire, tout pour du bonheur.

La leçon est aussi bonne en matière de vie sociale : il n'est pas nécessaire à l'indignation de s'exprimer en hurlements et en cris de mort. Il est probablement préférable de cultiver sa colère, de la tenir en laisse, de la divertir dans quelque chose de plus fort qu'une crise de nerfs, qu'un pétage de coche, qu'une intolérance aveugle. Mon père m'a laissé le plus bel héritage : celui de la douceur. On appelle aussi cela la paix, le pacifisme, la résistance tranquille. Nous savons tous que l'humain blessé cherche à blesser les autres. Mais sachons aussi que la réparation du monde passe par les bons soins de tous. Ce que je n'aime pas dans la colère, c'est qu'elle est trop souvent dénuée de bonté. Pour mon père, ses enfants turbulents valaient plus qu'une banquette d'automobile.

La vie continue

J'étudiais à l'Université Laval lorsque, un beau matin, je reçus un appel bouleversant de mon père. Il m'annonçait qu'ils avaient, ma mère et lui, tout perdu dans une faillite, leur maison, leur auto, leurs économies, leurs meubles, leurs souvenirs, tout, tout et tout, l'huissier avait même menacé de prendre notre chien familial, un beau boxer nommé Satan. Je revins donc d'urgence à Montréal pour réconforter mon père et ma mère, réfugiés dans un motel sordide de l'est de la ville, angle Viau et boulevard Métropolitain. La chambre était sombre, ma mère avait tiré les rideaux : elle était dévastée. Quant à mon père, témoin impuissant de la chute, il m'accueillit avec un petit sourire triste, mais malicieux quand même. « Mon fils, je vais pouvoir payer la chambre du motel, ils m'ont engagé comme préposé de nuit à la réception ! » J'étais étudiant, pauvre comme Job, endetté déjà, et voilà que je voyais mes parents littéralement à la rue. Mon père approchait de la soixantaine, mais il gardait le sourire et, croyez-le ou non, c'est lui qui me consola. « D'une manière ou d'une autre, la vie continue, disait-il, et nous allons continuer avec elle. »

Les routes sont nombreuses, les directions multiples, il est des croisées de chemins, des sens uniques, des culs-de-sac, des voies rapides, des terrains glissants, des voies impénétrables, des sagas familiales, le bout de chemin que l'on fit ensemble, les paysages qui nous sont familiers. Une fois partis, nous croyons facilement en la pérennité de notre élan. Une fois lancés, nous nous croyons solidement en piste, confortablement installés, aux commandes de notre vie. Jusqu'au jour où nous frappons un mur que personne n'a vu venir ; voilà que se présente une courbe non négociable, une chicane qui entraîne une sortie de route. À chacun sa part de mauvais œil, de mauvais coups, de deuil et de renonciation. À chacun sa perte et ses défaites. Cela n'existe pas, une vie sans cahots, une route sans obstacles, un itinéraire droit et prévisible. Cela n'existe pas non plus, une vie sans prise de conscience, sans remise en question, sans évaluation profonde de sa condition. Ces introspections conduisent parfois à des constats stupéfiants : je me suis trompé de route, je ne suis pas là où je voudrais être à la limite, je suis perdu.

La leçon de mon père valait d'être retenue. J'ai moi-même continué ma route de jeune homme, puis mon chemin d'homme. Jusqu'au jour où j'ai perdu le cours des choses au profit du destin. Après vingt-sept ans de vie de couple, le cancer m'a enlevé mon amour. Ma femme partie, je me suis retrouvé bien seul, absolument désorienté. Il a fallu du temps pour reprendre un peu d'esprit. Il m'a fallu de la résolution pour seulement me relever, reprendre la route, vers une nouvelle vie. Repartir la machine dans ce cas signifiait retrouver le goût de me battre, retrouver l'élan de vie, espérant même retrouver l'amour. Vaste programme quand on a perdu gros. En effet, tout arrive, tout peut arriver. Dans une vie bien ordinaire, celle des uns comme celle des autres, tout est susceptible d'y passer, l'amour, le travail, son rêve, son cœur, l'âme et le corps. Le mouvement s'épuise, on parle alors d'« épuisement », tout simplement. Il n'y a rien d'exceptionnel au fait de perdre : la vie est une alliée cruelle. Nul ne nous a jamais promis un jardin de roses, surtout de roses qui ne fanent jamais. Pensons moins à conserver, préparons-nous à rebondir. Dans le domaine du rebondissement personnel, les moralistes pullulent, ils sont légion à vouloir nous conseiller. Le coach de vie a remplacé le directeur de conscience. Or il est vrai que nous sommes vulnérables à ce chapitre.

Mon père ne m'a pas laissé d'héritage en espèces. Mais il m'en a laissé tout un en leçons de vie. La course, en effet, est pleine de rebondissements. C'est sagesse que de savoir saisir au rebond les chances, petites ou grandes, qu'elle nous offre. Par choix ou par tragique obligation, on peut refaire sa vie, on peut créer un autre monde, ce qui revient à se reprendre, à contourner l'obstacle, à le surmonter, à déjouer le sort. Puisque nous sommes, nous, les humains, des créateurs de mondes, il nous est possible d'en créer, des mondes et des univers qui nous conviennent. Puisque rien ne dure, il faut souvent recommencer. En un mot, à moins d'être aux portes de la mort, le bout de la route n'est jamais vraiment le bout de la route. Le mot *Fin* sur le panneau indique un recommencement, un nouveau départ. C'est d'ailleurs un peu la définition de l'indépendance parmi les routiers. « Si ça ne fait pas l'affaire ici, ça fera l'affaire ailleurs. » Les autres routes sont là qui méritent aussi d'être prises. Les nouveaux départs sont des ajustements essentiels qui témoignent de nos espaces de liberté. Ce sont souvent de magnifiques échappées.

Notre chien Satan avait aussi tiré leçon de mon père, son grand maître. Il s'adapta à sa nouvelle vie de chien en faillite, il se trouva de nouveaux terrains de jeu. Le jour où il suivit une marmotte jusque dans son trou et en ressortit un bout de museau en moins, il ne se laissa pas abattre. Il poursuivit sa vie de chien avec un demi-museau et continua jusqu'à sa mort de traquer les marmottes, jusqu'à la dernière, mais en les attrapant par-derrière.

Mon père était un moine oriental

Le rituel rassure la société, il l'apaise. En installant un ordre, une répétition, des gestes, des routines qui en appellent au sens et à l'équilibre du monde, le rituel réconforte l'individu et la famille humaine. Briser une tradition peut défaire l'ordre des choses, cela peut provoquer de la malchance, engendrer le dérèglement du monde.

Dans ses vieux jours, mon père avait transformé sa vie en un rituel total, certains diraient une routine, mais une routine sacrée, à laquelle il ne dérogeait jamais. Tous les matins, à la même heure, il s'assoyait au bout de la table de cuisine, sirotant son café dans lequel il trempait sa toast. Puis il allait prendre une marche avec le chien sur la promenade longeant le fleuve. Le chien Mouffe était aussi lent que lui et les deux déambulaient comme des complices cherchant tranquillement à faire un bon et un mauvais coup. En réalité, à quatre-vingts ans mon père patrouillait dans les environs à la recherche de canettes et de bouteilles vides. Il pouvait passer des heures à nettoyer les rives du fleuve dans le but de remplir son grand sac vert. Cela étant fait, il allait au dépanneur pour vendre son butin. L'argent gagné était immédiatement réinvesti dans l'achat de billets de loto. À midi, il revenait à la maison prendre un bon repas préparé par ma mère, rêvant de gagner à la loto, évidemment, racontant son avant-midi, monologuant toujours en brodant autour du même récit. Puis il passait du temps assis sur le balcon, en été, à l'ombre des érables argentés, à méditer en regardant la rue, les passants, en attendant la visite de ses enfants et de ses petits-enfants. Parfois, il faisait des commissions aux alentours, pour rendre service, comme il disait. Avant le souper, il prenait toujours un bain tiède, un long bain qu'il disait thérapeutique. Puis, en début de soirée, il écrivait son journal, avant de regarder la télévision au canal des « Petites Annonces », le Kijiji de l'ancien temps, et d'immanquablement s'endormir sur le sofa, le chien à côté de lui.

Après sa mort, nous l'avons lu, ce fameux journal qu'il écrivait religieusement jour après jour. C'est à ce moment que nous avons réalisé à quel point il tenait à tous ces détails, combien il s'était installé dans sa routine heureuse devenue un parfait rituel. Les vieux jours de mon père tenaient dans ces notes répétitives et laconiques : « Levé 7 h, beau soleil, bon déjeuner, bon café, des toasts, marche avec le chien, canettes 6 $ et 50 cents, billet de loto 2 $, visite de Michel mon fils, bravo !, visite de mon petit-fils, hourra !, pris un bain tiède, souper, télé, dodo. » Page après page, les mots se répétaient. C'était un journal où il ne se passait rien. Mon père aimait le chien, il aimait regarder le fleuve, noter le temps, chaud, froid, mouillé, sec, la température, il aimait les canettes, les billets de loto, le manger, le passage des journées et des saisons, il aimait prendre un bain, se reposer et dormir. Mais ce qu'il aimait par-dessus tout, c'était sa famille, sa femme, ses enfants et ses petits-enfants. Il notait tous les appels, toutes les visites, et chaque référence était pour lui un bonheur ponctué d'un « yé ! », d'un « yes ! », d'un « hourra ! ». Un tel allait venir, une telle était venue, il avait plu, il avait neigé, mon père inscrivait dans son cahier les morceaux de son long bonheur tranquille, tranquille comme le fleuve.

Toutefois, lorsque venaient de grands événements, des anniversaires, ou encore Noël et le jour de l'An, mon père se retirait du monde. Il laissait aux autres les grandes excitations. Oui, il se retirait littéralement, essayant de conserver son protocole journalier. Lorsque toute la famille s'est réunie pour fêter ses quatre-vingts ans, il nous a fait le coup : il s'est retiré devant sa télévision avec le chien pour regarder un match de boxe, sport qu'il aimait par-dessus tout. Il n'était ni triste ni vindicatif. Il voulait que nous nous réjouissions, et il était heureux de nous savoir là, dans la pièce d'à côté. Mais lui, il gardait le cap de sa propre tradition, rêvant, dans son for intérieur, d'une montagne de canettes vides trouvée par hasard, rêvant de gagner des millions à la loto, ce qui, somme toute, n'aurait rien changé à sa vie. Il aurait continué de marcher le long du fleuve avec Mouffe, de ramasser ses canettes, de prendre un bon bain tiède, hourra ! et de regarder la boxe à la télé.

À l'âge de la grande sagesse, mon père était en quelque sorte entré dans les ordres, c'est-à-dire dans l'ordre sacré de sa vie.

Quand le temps manquera de temps

Je me suis souvent demandé pourquoi, à la fin de sa vie, mon père regardait le fleuve pendant des heures, pourquoi il passait tant de temps à regarder l'eau filer et pourquoi cela lui faisait grand bien. Je crois aujourd'hui que, ce faisant, il envisageait le temps, tout simplement. Sa méditation était une réflexion sur la temporalité : il tenait à toucher à sa fluidité, à sa durée, il visualisait l'écoulement proprement dit, le courant, cherchant à se raccorder à l'élan primal du temps qui passe et qui ne fait que passer. Il voyait sa mort comme un emportement plutôt que comme une rupture. En un sens, il faisait confiance à l'éternel mouvement, un mouvement qui nous emporte sans retour.

Combien présomptueuse est l'idée de s'en prendre au temps, comme si nous pouvions vraiment le contrôler ! Le philosophe Vladimir Jankélévitch écrit : « Au temps qui passe, nos projets ne font ni chaud ni froid. » Prendre le temps, c'est prendre de l'eau dans notre main, une eau qui coule entre nos doigts, une eau qui fuit quoi qu'on fasse, qui nous échappe quoi qu'on dise. Plutôt que de rager à essayer de la retenir, profitons de sa douceur, de sa caresse, de sa fraîcheur. Car le temps a arrangé tant de choses, il a lavé tant de plaies. Mon père croyait les jours liquides, et l'eau de ce fleuve était pour lui un baume qui venait calmer ses angoisses. J'ai appris de lui que la physique du vécu dépassait le simple calcul des années. Nous sommes vivants le temps de vivre. Nous sommes morts le reste du temps.

Il n'est rien que nous n'ayons fait au temps : nous l'avons calculé, compressé, allongé, raccourci, amélioré, étiré, nous l'avons battu, nié, géré, nous l'avons pris, perdu, gagné, rattrapé, passé, gaspillé, employé, brûlé, nous en avons manqué, nous en avons accumulé, il a été bon, il a été mauvais, clément ou orageux, humide, chaud, glacial, brumeux : tout, dans la langue, a un rapport au temps. Car *être* est un verbe ontologique, *être* nous situe dans des accords de temps, *être* est un verbe lourd, et le plus dur, quand on écrit, c'est la concordance des temps : le futur simple, le passé composé, l'imparfait du subjonctif, le présent.

Le temps est imparfait. Il nous traverse, il nous habite, il nous emporte et nous transporte, toujours dans la même direction, dans le sens unique du futur. Pour l'humain, le mot *futur* veut d'abord dire « incertitude », il veut ensuite dire « finitude ». Dans la mathématique des émotions humaines, finitude plus incertitude égale grosse inquiétude. C'est absurde. Pourquoi ne pouvons-nous revenir en arrière, juste pour faire changement ? Pourquoi ne pouvons-nous remonter le cours du temps ? Juste une fois ? Pourquoi même ne pourrions-nous pas, ne serait-ce qu'une seconde, arrêter le temps, le suspendre ? Oui, le temps est imparfait, il ne sait que fuir en avant, se souciant peu de ce qu'il en coûte de moments présents pour fabriquer autant de souvenirs.

Un jour, le temps manquera de temps, et l'Univers sera en panne d'espace. Le temps, alors, se comprimera et nul ne sait s'il sera contraint de revenir sur ses pas, provoquant d'un seul coup le dégonflement de l'Univers. Quand le temps manquera de temps, il manquera de souffle et le cosmos demandera son fameux « temps mort », qui est un temps d'arrêt. Nous entrerons dans l'ère de l'éternel retour où tout recommencera, et nous apprendrons, béats, que cela n'existe pas, la fin des temps.

Son dernier clin d'œil

Mon père était un homme ancien et fort original. À sa mort, il ne m'a laissé aucun héritage, n'ayant même jamais songé à en constituer un. Pour lui, la vie tenait à la bonne humeur, aux sourires de l'âme et au « bon temps qui passe ». Il n'avait cure d'engranger, sachant que ses enfants, tous instruits et fort bien élevés, allaient se débrouiller dans ce monde « facile » que l'on appelle modernité. Il mourut de vieillesse, sans se poser de questions. Nous fûmes tous surpris d'apprendre que notre père avait inclus dans ses dernières volontés le désir d'être incinéré au terme d'une exposition traditionnelle au salon mortuaire. Cette incinération fut la seule concession qu'il fit aux temps modernes : car dans sa tête à lui, même s'il n'était pas un bon catholique, il avait toujours imaginé son cercueil descendant dans la fosse, sous le goupillon du prêtre. Mais sauta cette ultime étape. Quand même, il y eut la cérémonie à l'église, la sortie solennelle dans l'allée, la descente des marches du parvis, le glas, ses petits-fils, des colosses, portant le cercueil, la dernière balade en corbillard.

L'urne fut mise en terre au cimetière Côte-des-Neiges, un des plus beaux du monde, dans le terrain de la famille de ma mère. Mal nous en prit : quelques semaines plus tard, nous découvrîmes dans ses papiers personnels une lettre où il exprimait clairement son désir de ne jamais être enterré dans le lot de la famille de ma mère, arguant que des assassins y reposaient. Il désirait plutôt reposer dans son terrain à lui, dans l'humble cimetière de Pointe-aux-Trembles, au pied des raffineries. Ne pouvant nous opposer à son souhait, nous dûmes exhumer l'urne du grand cimetière pour la ramener dans le petit. Cela tombait bien puisque, si je veux être juste envers mon père, je dois dire qu'il m'avait quand même légué, à moi et à moi seul de la famille, son grand terrain traditionnel dans le cimetière de Pointe-aux-Trembles. Mais il y eut un hic ! Mon père n'en avait jamais payé les frais d'entretien. Puisque ce terrain avait été acheté dans des temps anciens, la dette à la fabrique de la paroisse s'élevait à une somme importante, somme que je fus obligé de payer avant d'inhumer ses restes.

Voilà bien le dernier clin d'œil de mon père : je sentais comme un sourire à l'intérieur de l'urne. Non seulement je n'avais pas d'héritage, mais j'héritais d'une dette en plus, une dette de mort, l'entretien éternel d'un terrain au cimetière. Désormais, chaque année, je devrais payer la note, et chaque facture de la fabrique me rappellerait mon père, son sourire, sa malice, lui qui avait quitté ce monde aussi léger que lorsqu'il y était arrivé.

Je me demande aujourd'hui quelle aurait été sa photo de profil. Il nous aurait surpris, comme à son habitude. Pour ses quatre-vingts ans, nous lui avions donné un petit appareil photo. Il s'était mis sérieusement à photographier les intervalles, les interstices, les non-lieux de nos vies : une poignée de porte, un pneu, un poteau de téléphone, une canette vide, un panneau de signalisation et ainsi de suite. Mon père était un homme préhistorique en avance sur son temps : un clin d'œil sur le monde, la photo de son orteil, de son hamburger, de l'intérieur de son char. Il aurait été champion sur Facebook.

Mais il repose en paix dans la terre traditionnelle. De la

glaise bleue du bout de l'île. S'étant fait incinérer, il ne court plus le risque de se fossiliser. De rares photos vite devenues anciennes nous le montrent à quelques époques de sa vie. Nous n'aurons pas eu à fermer son compte Facebook. Il n'a pas laissé derrière lui trente-deux mille courriels incriminants. Ni vidéos, ni documents, ni documentaires, ni *tweets*. Il n'y a même pas eu de réunion chez le notaire. Il a fait partie de la dernière génération pour qui se faire filmer, se faire photographier, se faire enregistrer relevait de l'exceptionnel autant que de l'improbable. Il s'en est allé sans trop laisser de traces, finalement, sinon le ramassis de ses obsessions, des coupures de journaux, des cartes postales, le registre de sa routine. Et pour survivre au-delà de sa mort, il comptait sur la mémoire des siens, sa descendance. Manière archaïque de se projeter dans le temps.

La nostalgie ne se souvient de rien

Nous ne sommes pas équipés pour le souvenir. L'oubli est bien plus fort que la mémoire, et lorsque nous essayons de reconstituer notre propre passé, nous n'avons pas prononcé trois phrases que nous commençons à fabuler. Nos histoires sont toujours des histoires inventées. Que l'on embellisse, que l'on noircisse, cela revient au même ; nous magnifions ce qui peut être magnifié et nous minimisons ce qui nous embête. Les autobiographies sont les plus grandes œuvres de fiction qui soient. Car quelqu'un qui entreprend de vous conter sa vie va rapidement sauter quelques détails. Nous sommes tous des « arrangeurs » quand il s'agit de témoigner à la barre de notre propre bilan. L'histoire fait des choix, elle discrimine, elle est un construit, une façade. Et c'est bien ainsi. Car nous avons tous des choses à oublier, je dirais des choses à cacher, aux autres autant qu'à nous-mêmes.

Si la mémoire nous fait défaut, la nostalgie, elle, est tout ce qu'il nous reste. Car la nostalgie est la mémoire de l'intervalle, la mémoire de tout ce dont on ne se souvient plus. Elle ne se rappelle rien en particulier, mais elle vous restitue des pans entiers de votre passé. C'est une odeur, une lumière, un arbre mort, un vieux camion, une photographie, l'odeur de l'eau, de l'asphalte mouillé, un orage, un chien. La nostalgie a tout filtré, elle nous renvoie les émotions floues d'un état essentiel qui n'est plus, mais qui a été. C'est une réminiscence qui emballe des petits paquets d'impressions. C'est l'agréable méditation qui fait revivre des atmosphères, des moments heureux, de ces bonheurs tranquilles et innocents dont personne n'a conscience sur le moment, mais qui reviennent à la surface sans qu'on sache trop comment, causant une larme, un regard attendri, un soupir. C'est plus fort que nous.

Je me souviens de l'odeur des cigarettes que fumait mon père alors que nous étions assis sur ses genoux, enfants. Je revois les volutes de fumée, ces ourlets aspirés puis expirés par ce bel homme qui essayait de nous impressionner en faisant des O, que nous appelions des « zéros de boucane ». Je ne pourrais jamais vous dire la marque de cigarettes ou la couleur de la chemise de mon père, je ne me souviens même plus du lieu précis, du contexte, ni d'aucun détail. En fait, je ne me souviens de rien. Ma nostalgie n'est fondée que sur des émotions prégnantes d'un état que j'ai connu : les bras de mon père, son sourire à rassurer le diable, la légèreté de la fumée, son odeur, l'innocente conviction d'être bien, là, sur ses genoux.

Ces états passés, le sentiment d'avoir été, et d'avoir été dans ces états-là, voilà ce qui constitue le retour mélancolique et attendri des choses dans notre esprit. C'est une question de temps, un point qui s'éloigne dans l'espace, un moment qui nous échappe immédiatement et à chaque seconde. La nostalgie est ce rapport au temps, une vague, une ondulation, un signal en provenance du fin fond de soi.

La nostalgie n'est pas snob, elle recycle tous les matériaux, n'importe lesquels, tous les lieux, toutes les circonstances. Elle ne suit pas les tendances. Assis à Venise, à regarder les pigeons de la place Saint-Marc, je peux soudainement ressentir une forte nostalgie de Matagami, de ses froids, des ses paysages austères, de son lac vert. En retour, la vieille épinette rabougrie songe peut-être au soleil, à la forêt équatoriale, au palmier. Je me souviens d'une nuit de Noël passée dans le désert mauritanien. Pendant une minute, j'ai eu la nostalgie d'un ragoût de pattes de cochon, de l'odeur de la sauce. J'ai eu la nostalgie de la sloche brune sur l'asphalte du boulevard Métropolitain en décembre. Mais cela ne disait rien au chameau, au petit vent chaud qui faisait voyager les grains de sable sur la crête de la dune, comme de la neige fine au beau milieu d'un champ.

La réalité ne passe pas l'épreuve de la nostalgie, ou l'inverse. L'une n'a rien à voir avec l'autre. Quand je traverse aujourd'hui le quartier de ma jeunesse, il n'est pas à la mesure de la nostalgie que je cultive à son égard. Imaginez, je voue un culte digne des temples grecs à la balle bleu, blanc, rouge avec laquelle nous jouions au hockey dans la rue. Tout est éligible au moulin de la nostalgie, un coin de grange, une ruelle, des cris d'enfants, un bruit de moteur, des jappements d'outarde, un sifflet, une cloche.

Non, la nostalgie ne se souvient de rien, mais elle nous ramène une totalité à la surface de la conscience. Comme si c'était hier, je touche au vieux Chevrolet Delray noir 1958 de mon père, le taxi que nous, les trois frères Bouchard, nous lavions des fatigues de la semaine et de la ville pendant que notre père, le chauffeur, dormait quelques heures dans la maison. Je revois la carrosserie luisante et chaude, l'éclat de la couleur noire qui réfléchissait le soleil quand nous avions fini, et cette voiture m'apparaît comme un visage qui n'est rien d'autre que le visage de cette époque, dans ma tête d'aujourd'hui.

Nous sommes tous en exil de quelque part. Ce quelque part est l'ailleurs mystérieux où toutes les émotions se réfugient, s'empilent et se conservent. Cet ailleurs est passé, nous ne pouvons pas y retourner. Nous sommes condamnés à l'évocation, à la douce évocation. Et jamais l'intelligence émotionnelle et intuitive n'est aussi belle que lorsqu'elle nous console de tout ce que nous ne pourrons jamais retrouver, de tous ces chemins que nous ne pourrons jamais refaire.

Lis ou meurs

Lis ou meurs

Dans les années 1950 et 1960, ma mère n'avait pas de doute quant au pouvoir des livres. *Lis ou meurs*, voilà ce qu'était la devise de sa maison. Nous n'avions rien, en tout cas pas grand-chose, mais nous avions une bibliothèque familiale. Les livres étaient rangés, ils étaient époussetés et ils étaient précieux. Pour ma mère, la lecture importait autant que le manger, un livre valait autant qu'un gros paquet de viande hachée. Jack London, Alexandre Dumas, Jules Verne, l'*Encyclopédie de la jeunesse*, le passage était obligé. Alors, lorsque nous avons quitté la maison maternelle, la première chose que nous avons reproduite dans nos appartements de jeunes étudiants fauchés, c'était la bibliothèque et les recettes de viande hachée. Il s'agissait de bibliothèques de fortune, faites avec des petits empilements de briques rouges et des planches de deux pouces sur six pouces. Je revois encore ces faux meubles dans lesquels on rangeait des tas de livres de format poche. Plus on en avait dans l'appartement, plus on paraissait instruit et cultivé. Il était absolument tabou d'aborder la question piège : avions-nous lu tous ces ouvrages ? Cependant, nous lisions ; en fait, nous lisions énormément. Romans, essais, biographies, je me souviens de m'être plongé dans les auteurs russes comme on plonge dans un océan. Il semblait inimaginable de ne pas avoir de bibliothèque personnelle. Au fil des ans, ces bibliothèques devenaient considérables. Lors des déménagements, les boîtes de livres prenaient toute la place dans les petites *vans* et leur transport brûlait nos énergies.

Nous avions appris enfants que la bibliothèque cachait des mondes et des trésors, des aventures et des surprises, des questions et des réponses. Il y avait là des histoires de crime, des voyages dans l'espace, des poèmes philosophiques, des exploits, des dépits amoureux, des pensées et des images, des animaux qui parlaient, des enfants qui jouaient des tours, des grands qui trichaient, des gens qui mouraient, des paysages. Le premier livre que j'ai lu, ce sont les *Mémoires d'un âne*, de la Comtesse de Ségur. Ou n'était-ce pas plutôt *Un bon petit diable*, de la même auteure ? Nous avions acquis le réflexe de faire les voyages au complet, un livre après l'autre, de la première à la dernière page. Plus tard, ce furent les classiques, car il fallait fréquenter les classiques, un à un, sans en manquer un seul. J'avoue ne pas avoir lu Racine et Corneille dans le texte, mais nous avions les œuvres en livres de poche, toujours en vue, dans les rayons de notre bibliothèque en briques.

J'ai toujours rêvé d'avoir une bibliothèque victorienne, avec des fauteuils en cuir sombre, des tables en chêne, des murs et des étages de livres, des échelles coulissantes et des boiseries et, qui sait, des vitraux. Avec le temps, je suis devenu un intellectuel et les équipes de tournage qui viennent chez moi s'attendent toujours à faire de belles images d'un savant bien installé dans sa bibliothèque de rêve. Mais cette bibliothèque n'existe pas. Ces équipes me trouvent comme je suis, en train d'écrire à une petite table, sur le clavier de mon portable, et mes livres sont éparpillés un peu partout dans la maison.

Oui, ma mère avait du foyer une vision de bibliothécaire. C'était une autodidacte. Elle lisait sans arrêt, son cas s'est aggravé avec l'âge. Son homme mort, ses enfants partis, elle ne cachait pas son bonheur en face de sa solitude, elle disait qu'elle disposait finalement de tout son temps pour lire. Dans ses dernières années, elle a lu l'*Histoire de Londres*, l'*Histoire de la Palestine*, l'*Histoire de l'Australie*, et elle a relu *À la recherche du temps perdu*. Plus le temps passait, plus ses livres étaient gros, volumineux. Ses petites mains ne pouvaient plus les tenir, elle les lisait déposés sur la table. Ma mère aurait dû résider dans une bibliothèque publique, à plafonds hauts, à grandes colonnes, se retrouver à demeure au sein de la maison des livres, dans son petit coin, à lire en silence à longueur de journée.

Elle a lu jusqu'au dernier filet de lumière. À quatre-vingt-treize ans, elle a perdu la vue. Ne pouvant plus voyager dans ses gros livres, ses yeux ne lui servant à rien, elle les a fermés à tout le reste. Sur sa table de chevet, ses lunettes et un exemplaire de son livre préféré entre tous, *La Mère* de Pearl Buck. La regardant, toute menue sur son lit de mort, je me suis dit qu'elle avait été fidèle à sa devise familiale : *Lis ou meurs*, et nous avons gardé ses cendres pendant un an sur les rayons d'une bibliothèque, entre deux gros livres qu'elle aurait bien aimé lire.

Mes drogues à moi

Il y a longtemps que les humains croient aux esprits. Il y a longtemps qu'ils essaient de les rejoindre. Fuir dans sa tête, se réfugier loin au creux de soi, ou hors de soi, quoi de mieux pour échapper aux âpretés du monde ? Devant la torture, les jeunes guerriers amérindiens s'exerçaient à endurer les pires souffrances physiques ; ils devaient résister mentalement à leurs bourreaux, s'absenter de la séance, souffrir en chantant. Alors que les vainqueurs leur arrachaient la peau, eux, ils étaient déjà loin, absents, ils étaient au pays des esprits furtifs, et si leur corps souffrait, leur esprit n'était plus là pour en avoir conscience. Il est extrêmement difficile de parvenir à cet état en ne comptant que sur sa propre force spirituelle. Adrénaline, méditation, entraînement, volonté, mais surtout, il faut avoir la foi, la foi dans les pouvoirs de l'esprit. Cela n'est pas à la portée de tous. Nous nous sommes tellement éloignés, au fil du temps, des disciplines de l'esprit que nous ne saurions plus quoi faire si nous devions, pour fuir, ne compter que sur notre imaginaire. En cela, les drogues aident beaucoup. Nous le savons, il est rassurant de pouvoir compter sur la morphine, l'aspirine, la cocaïne, la caféine, l'héroïne, la nicotine et tous les *ines* de ce monde. Il nous faut des drogues pour soigner notre mal, mal de corps et mort d'âme. L'esprit s'endort, s'engourdit, l'esprit plane, il nous amène ailleurs, c'est connu, il est bon de se sentir plus résistant, plus beau, plus fort, plus capable. Que ferions-nous sans anesthésiants, sans pilules contre nos douleurs ?

Les sociétés anciennes et traditionnelles du nord du Mexique utilisaient le peyotl, un cactus hallucinogène dont on tire une substance connue sous le nom de mescaline. Son usage était rituel et collectif. Il donnait lieu à des cérémonies chamaniques visant à soigner et à rassurer l'âme de l'ensemble de la communauté. La consommation était une communion. Enchâssée dans le culte du cerf et du maïs, la mescaline venait sacraliser encore davantage la nature de la vie spirituelle. Tous et toutes avaient accès à ce monde parallèle. Ainsi, l'équilibre se rétablissait, les blessures se soignaient. La société qui avait peur de quelque chose, la société angoissée, la société en peine se guérissait ensemble par cette mescaline libératrice.

Il semble bien que le rite était apprécié et efficace si l'on en juge par la force de la tradition. Tout le chamanisme reposait sur l'idée que l'esprit voyage et que l'âme cherche toujours à s'en aller. L'esprit nomadise tandis que la raison sédentarise. Voilà de bien anciennes considérations : dans les sociétés traditionnelles, on avait plus volontiers conscience des besoins et des pouvoirs de l'esprit. Le voyage, quand il se passait bien, permettait à celui-ci de faire des rencontres dans une dimension inaccessible autrement. Il permettait d'avoir des visions rares. Par contre, tout pouvait aller de travers. Le voyage, quand il se passait mal, donnait raison aux mauvais esprits. L'hallucination tournait alors au cauchemar, entendez : au *bad trip*.

Nous avons deux esprits. L'un est froid, il calcule, il a les deux pieds dans la réalité. L'autre est chaud, il dérive, il explore, il fuit le réel. Le premier est au service de la raison et il est raisonnable, le second est au service de l'imaginaire et il imagine ; il est forcément déraisonnable et délinquant. Bons et mauvais esprits, ces voyages s'appuient sur les pouvoirs de la pensée sauvage. Nous sentons des choses, nous voyons des choses, mais surtout, nous échappons aux choses. Depuis toujours, l'imaginaire a représenté le plan B, une sorte de fuite, nous devrions dire une évasion. Nous voulons nous échapper, nous voulons sortir, mais sortir de quoi ? Où sommes-nous enfermés ?

Il y a belle lurette que nous ne vivons plus dans des sociétés traditionnelles, et nous nous sommes bien affranchis des rites de la transe et des vols planés collectifs. Pour cela, il ne nous reste que les concerts rock, des supershows de musique, de danse et d'effets spéciaux. En fait, les cérémonies chamaniques collectives ont été remplacées par un immense système de divertissement. Et les drogues, toutes les drogues, s'inscrivent dans ce mouvement : nous divertir de la froide logique du monde. Faut-il que le monde soit si malade et à ce point insupportable pour qu'il faille ainsi ouvrir les portes des paradis artificiels à autant de monde, un client à la fois, comme si rien ne pouvait tenir sans nos remèdes ? Voilà peut-être la vraie définition du mot *consommation.*

* * *

Quelles furent mes drogues à moi ? J'ai vécu assez longtemps sur cette terre pour commencer à faire quelques bilans. Jeune, j'ai essayé quelques drogues, la marijuana bien sûr, mais aussi la mescaline et le haschich. Je ne puis rien dire de tout cela, car je n'en retiens pas grand-chose, hormis un vague souvenir de jeunesse. Parlons de rite d'initiation, de geste sans trop de conséquences qui n'entraîna aucun intérêt, encore moins quelque accoutumance de ma part. Côté dépendance, je fus beaucoup plus vulnérable à la nicotine et à la caféine. Aujourd'hui, quand je repense à ce qui a fait les plus grandes impressions dans ma tête, les plus grands voyages, les plus belles jouissances psychiques, je ne pense pas à ces drogues expérimentées quelquefois dans mon jeune temps, et auxquelles je n'ai plus touché par la suite.

Mais alors, quelles furent vraiment mes drogues, celles qui m'emportèrent en d'autres lieux, en des terres inconnues, me procurant des emportements très souvent incommunicables ? Il y en a plusieurs, elles sont toutes liées. Il y eut d'abord la lecture, la connaissance, la découverte intellectuelle. Pendant de longues périodes de ma vie, je me droguais aux lectures anthropologiques, historiques et philosophiques, sans parler de mes périodes romanesques. Un vrai malade, toujours parti dans ses lectures, à découvrir la grande Algonquinie, à apprendre sur Néandertal, à m'enfuir dans les forêts de l'Europe du temps de la Gaule chevelue, à lire sur les loups, les ours, loin là-bas, dans les nuits des lacs gelés, là où ne vont jamais les hommes.

Autre drogue : il y a eu, il y a toujours eu, la route. Des heures et des heures à m'en aller, perdu dans mes pensées, des heures et des heures à revenir. La route est pour moi une longue prière, une parenthèse, une réflexion, un voyage intérieur, un moment sacré. Rien ne me fait plus plaisir que de m'engourdir le temps d'un aller-retour à Rimouski. Ce n'est jamais assez loin, ce n'est jamais assez long. Je me souviens d'avoir roulé de Montréal à Anchorage, pour m'apercevoir que l'Amérique dans sa plus grande largeur n'était pas assez large pour moi, pour m'apercevoir à l'arrivée que j'aurais bien continué jusqu'en Sibérie. Toute ma vie, je me suis enivré de paysages nordiques, de paysages sauvages. Je bénis le ciel de m'avoir donné cette naïveté, cette constance dans l'émerveillement. Pendant des millions de kilomètres, je n'ai jamais été blasé. J'aurai aimé les épinettes de la première jusqu'à la dernière.

Je me suis aussi drogué au passé, à l'immobilité, à la tranquillité, amoureux fini de la part inviolée du monde, de la beauté primale des terres vierges et sauvages. Amoureux fini de l'humanité universelle, dans le temps et dans l'espace.

Paysages, routes, histoire, comment ne pas voir ma chance ? Je me suis exercé, comme mon père, à être un voyageur sur terre, refusant la réalité convenue pour mieux m'évader dans l'émotion. Ma drogue fut l'imaginaire, l'émerveillement, la poésie. Avoir les yeux ouverts et, surtout, voir les choses autrement, voir dans les choses ce qui ne se voit pas d'emblée. C'est alors qu'on se penche longuement sur l'être d'un pissenlit, sur la longévité d'un grain de sable, sur sa beauté, c'est alors qu'on se met dans la peau d'un pneu, dans la peau d'un poteau, dans celle d'un chasseur de lions, en Espagne, il y a vingt mille ans.

On ne peut imaginer plus grande délinquance. Tout cela s'est abîmé dans l'écriture, dans la fabulation, dans le délire. Un monde créé de toutes pièces, dans ma tête et pour ma tête, à partager avec des aussi fous que moi. Ce fut et c'est encore cette folie recherchée qui m'a protégé de la réalité, d'une surdose de réalité. Et il m'est doux de savoir que, durant tous ces voyages, je ne fus jamais réellement seul. Quand je parle et quand j'écris, rendant compte de mes ultimes dérives et explorations, les gens lisent et m'entendent, ils savent très bien jusqu'où je suis allé, ils savent très bien d'où je reviens. Rien qu'à lire, on voit bien.

Le rat de bibliothèque

Je ne suis pas un rat de bibliothèque, je ne l'ai jamais été. En réalité, je suis un rat de *ma* bibliothèque. Mes livres à moi. Certains éparpillés dans toutes les pièces de la maison, jusque dans la salle de bains, d'autres rassemblés dans de vieux meubles, comme ce cabinet vitré hérité de ma mère et qu'elle appelait un « curio ». Car oui, les livres sont objets de curiosité. Et la bibliothèque, qu'elle soit publique ou, disons, domestique, sert bien cet appétit. Lieu de tous les passages, réseau de tous les chemins possibles, sa fréquentation délie les idées, libère l'imagination, entraîne l'esprit dans une quête où les ouvrages se relancent et se relaient, où les chapitres s'entremêlent, où se créent des liens inattendus, des petites synthèses improbables, qui demanderont d'autres examens, d'autres lectures, et ainsi de suite de tout ce qui occupe une vie studieuse, je dirais même une vie curieuse.

Vous pensez que je parle d'Internet, cette bibliothèque virtuelle où s'enchaînent les liens et les hyperliens ? Peu importe le support, pourvu que cette quête de l'esprit nous entraîne dans un engrenage fascinant, une mécanique de transmission où tous les savoirs, les expériences humaines, les intuitions, les émotions, les débats, les paradoxes, les dilemmes se communiquent, se croisent, s'entrechoquent. Autrement dit, là où se conserve et se continue la mémoire du monde.

Quand nous entrons dans une bibliothèque, qu'elle soit virtuelle ou réelle, qu'elle se présente comme un lieu sacré, avec ses fameuses petites lampes de banquier aux abat-jour verts, ou simplement comme un recoin profane de la vie quotidienne, nous voilà pris dans un nœud dont chaque livre nous libérera un peu plus. Ou nous emmêlera un peu plus. L'expression le dit bien : être perdu dans ses lectures. Les livres sont dangereux, l'évasion nous entraîne dans des territoires inconnus, où l'on se perd. C'est comme si une question avait jadis été posée par de grands esprits anonymes, et que la bibliothèque idéale était l'ensemble des essais et des fictions, de tous les écrits que l'humanité a laborieusement produits afin de répondre à cette seule grande question dont, d'ailleurs, personne ne se rappelle plus très bien la formulation.

J'aime les vieux livres. Dans ma bibliothèque, il y a des ouvrages rares, vieux de cent cinquante, deux cents ans, qui s'émiettent et sentent le ranci. J'ai aussi une collection de vieux livres dans mon ordinateur ; cette bibliothèque-là est une longue liste de lecture où défilent les anciens manuscrits, maintenant numérisés, qui eux ne sentent rien, sinon le troisième café du matin. Sous une forme ou sous une autre, les vieux livres sont comme des galeries souterraines aux accès condamnés, depuis longtemps refermées, des catacombes empoussiérées qui révèlent des choses étonnantes, quoiqu'oubliées. Si j'ai toujours le nez dans les vieux livres, c'est que je suis certain qu'il y reste des choses à découvrir, une révélation à décrypter entre les lignes, et que l'un de ces ouvrages, comme sorti d'une crypte, justement, me dévoilera la vérité du monde.

L'univers souterrain a ses lois : ce sont les fondements de l'aventure humaine, les pièces à conviction accumulées dans les voûtes. Il en faut, du courage, de la patience et de l'obstination, pour creuser un sujet, pour prendre un morceau des couches profondes afin de le relier aux débris de surface. Cela confirme aussi la métaphore du rat de bibliothèque. Grâce aux passages secrets par lesquels se faufilent les rongeurs, les rats finissent par être de doctes rats, ils se mettent à comprendre la mécanique de la trappe à souris, ils risquent même de se mettre à écrire de nouveaux livres, à penser par eux-mêmes, à écrire l'histoire des rats, à contester leur statut de rat, à s'inventer un nouveau nom. Ce qui peut augmenter la longueur des galeries, à critiquer, à réviser, à contester. Il est dans les livres des passages importants, révolutionnaires. Et nous disons simplement : laissez-moi vous lire ce passage. Il y a dans les bibliothèques un tel empilement de travaux, d'auteurs, tant de quêtes, de sommes, d'essais ! Savoir lire, c'est savoir se lier, se délier, se prolonger, c'est vraiment l'art de grignoter en paix des œuvres de goût.

Jamais nous n'avons tant écrit. Il est heureux que la bibliothèque virtuelle nous permette une consultation perpétuelle, universelle. Mais l'angoisse demeure : quel est le lien entre la pomme, le sexe, la lune, l'humidité, la couleur rouge, le dessin de la courbe et l'amertume des pépins ?

La première ironie

J'ai acheté puis lu *L'Ironie* par hasard. Un jour, en bouquinant, attiré par le titre, par la maison d'édition et par la facture même du bouquin, j'achetai *L'Ironie* de Vladimir Jankélévitch, dans la collection « Champs » de Flammarion. Personne ne me l'avait recommandé, j'ignorais tout de l'auteur. Ce fut un choc, je fus séduit, renversé, bouleversé. Jamais je n'avais lu une écriture aussi musicale, aussi originale, aussi raffinée, aussi libre. C'était il y a bien des années, en 1985 peut-être. J'allais par la suite et pendant une décennie lire et étudier l'ensemble de l'œuvre du philosophe, en plus de relire *L'Ironie* à deux reprises.

Ma passion pour des livres comme *L'Irréversible et la Nostalgie, La Mort,* le *Traité des vertus* et ainsi de suite s'expliquait malgré tout. Je venais d'écrire ma thèse de doctorat en anthropologie et, s'il est un philosophe qui avait influencé ma pensée, c'était bien Henri Bergson. Or on peut dire que Vladimir Jankélévitch est l'héritier de Bergson, avec qui il avait d'ailleurs entretenu une correspondance dans sa jeunesse. Je n'étais donc pas dépaysé dans la pensée de Jankélévitch, je poussais simplement mon voyage un peu plus loin, un voyage commencé depuis longtemps avec les *Essais* de Montaigne. Ce fut une passion, certes, mais ce fut surtout une consolation. Bernard Pivot demandait un jour à Jankélévitch si la philosophie pouvait encore servir à quelque chose dans le monde moderne. La réponse est toute simple, c'est celle de Montaigne, de Bergson et de l'auteur de *L'Ironie* : la philosophie nous apprend à vivre, la philosophie nous apprend à mourir, et entre les deux extrêmes, il y a l'obligation morale d'aimer, de vivre et de s'engager.

J'ai lu Jankélévitch comme on lit un texte sacré, pour la consolation et l'encouragement. Dans la décennie en question, au cœur pragmatique de ma propre existence, je devais vivre avec la mort, la vie, la renonciation, la peur, les paradoxes et la tentation de tout laisser tomber. Mon amour était condamné, nous luttions contre une maladie incurable, j'étais impuissant, désolé. Et Jankélévitch de réfléchir au mot *hélas.* Je lisais ses textes pour y puiser de la force. Et Jankélévitch d'écrire en boucle sur l'obstacle, sur le rebondissement, sur l'amour, sur le courage, sur l'engagement ! Quelle ironie !

L'Ironie est paru en 1964. Il y avait alors l'absurde de Camus, les rodomontades de Sartre (que Jankélévitch exécrait), il y aurait bientôt la froide logique du structuralisme. Au milieu de nulle part, voilà que s'amenait le virtuose du nomadisme de l'esprit, le philosophe indépendant, le moraliste Jankélévitch. L'ironie, ce n'est pas une farce, ce n'est pas de l'humour. Le comique reste au stade de la comédie, et le rire est un plaisir. Le rire est l'intention du comique, son premier sujet. Mais le comique s'arrête là où l'ironie poursuit.

L'ironie, ce n'est pas non plus le cynisme, avec lequel on la confond souvent. L'ironie est une ruse bienfaisante, elle a une bonne intention, tandis que le cynisme est une forme méchante de pensée. Le cynique est désespéré. Sa phrase heurte et fait mal. L'ironiste étonne, il laisse une porte de sortie, pour lui le sens n'est jamais donné, il faut chercher, penser, penser plus encore.

Pour Socrate, l'ironie est bel et bien une ruse : feindre

l'ignorance pour mieux débusquer le savoir. Mais chez Jankélévitch, cela va beaucoup plus loin, comme si Montaigne était passé par là. L'ironie est un antidote contre l'abus de raison, contre la logique à outrance, contre l'argumentation instrumentale. L'ironie est une pensée active qui veut se dépasser par l'intuition, l'émotion, disons par les rondeurs du cœur. Oui, l'ironie est une forme de persuasion, mais c'est surtout un appel d'intelligence, une mobilité constante de la pensée, je dirais un penchant de l'esprit. L'ironiste ne veut surtout pas avoir raison. Il veut séduire, il veut convaincre, peut-être, mais il veut surtout que l'on pense plus avant, que l'on avance, que l'on creuse, que l'on explore. L'ironie cherche à transcender la pensée et à la pousser à la limite.

L'ironie est donc une forme de pensée critique fondée sur l'entièreté de l'intelligence humaine, dans ses possibilités infinies et dans ses limites absurdes. À quoi sert la philosophie ? Citons librement Jankélévitch : « L'existence n'est pas faite pour se regarder exister, tout comme respirer est fait pour respirer et non pas pour se regarder respirant. » Il faut plonger, sans réfléchir à la froideur de l'eau, car le courage n'est pas une affaire de raison.

Montaigne sur le sujet du jouir

Dans ses *Essais,* Michel de Montaigne écrit : « Qu'a fait aux hommes l'acte génital, qui est si naturel, si nécessaire et si légitime pour que nous n'osions pas en parler sans honte ? » On est dans les années 1580, Montaigne fait l'apologie de la nature humaine, du plaisir et du désir. Il ne comprend pas que la jouissance soit en son temps aussi suspecte qu'elle l'est et il s'interroge sur la sévérité de son monde. On est à l'époque des guerres de religion, de la redoutable peste, à l'époque de la peur des Turcs et de l'Orient mahométan, on est aux grands moments de la découverte des indigènes d'Amérique. Voilà l'époque bouleversante dans laquelle vit Montaigne, une époque où les dogmes, les interdits et les prescriptions étaient terribles : le sexe était vu comme un passage obligé, un acte nécessaire afin d'assurer la reproduction de l'espèce humaine. Le sexe touchait vite au péché, on ne le considérait certes pas comme une vertu. La vie était une vallée de larmes.

Or, dit Montaigne, dans la vie nous ne sommes ni dans le péché ni dans la vertu, nous sommes dans le plaisir, qui plus est, dans l'ordinaire et sain plaisir d'être de ce monde. « C'est une perfection absolue et pour ainsi dire divine que de savoir jouir de son être. »

Il faut dire que Montaigne n'était pas un catholique rigoureux. Il croyait en Dieu, mais saura-t-on jamais s'il ne confondait pas Dieu avec la Nature ? Selon lui, il ne fallait pas bouder son plaisir, car la jouissance des sens était dans l'ordre de la Nature et en particulier dans l'ordre de la nature humaine, premier sujet du philosophe. Cette Nature n'est ni sale ni honteuse, elle est ce qu'elle est, bien ancrée au fond de nous. Il est inutile de nous sentir coupable de tout ce qui nous arrive. Mangeons, buvons, baisons tant que nous le pouvons, avant que notre santé nous abandonne, car elle nous abandonnera. « C'est le jouir, non le posséder qui nous rend heureux. » Le plaisir, et en particulier le plaisir du corps, est aussi important que ses souffrances. Dans une vie humaine, nous aurons les deux, le plaisir et le déplaisir, « l'aisance et la mésance ». Car il s'agira toujours de ce que l'on ressent. Voyons donc à ce que notre bilan final soit à l'avantage des plaisirs que nous aura procurés notre vie. En ce sens, Montaigne est le philosophe de la joie et du jouir.

Affaire de goût ou de dégoût, être sensible ou insensible, jouir ou souffrir, Montaigne nous invite à relaxer. Le charme discret du sexe tient bien sûr à ses secrets, à ses intimités. Entre l'amour platonique et l'orgie bacchanale, il doit bien y avoir un juste milieu. Un plaisir normal, qui nous appartient, qui nous est propre, que nous partageons, que nous prenons avec l'autre, sans que l'on ait à s'en confesser, sans que l'on ait à fanfaronner.

Cela est quand même merveilleux de devoir retourner aux écrits d'un penseur ancien pour prendre la mesure critique de ce que le sexe est devenu dans la société contemporaine. Cette affaire naturelle et ordinaire s'est en effet transformée en obsession extraordinaire. Dans notre monde entièrement dévoilé, entièrement mis à nu, dans notre monde de *selfies* et de *nous-fies*, le sexe est devenu si indiscret qu'il a fini par s'imposer comme le premier sujet des sociétés blasées. La jouissance sexuelle est un paroxysme qui nous transporte dans un état second, certes. Mais ce plaisir ultime qui vient de l'union des corps, de la représentation imaginaire, nous l'avons étendu à tous les domaines de la vie individuelle. Le mot *orgasme* a été paraphrasé et exporté dans toutes les dimensions de l'être : spirituelle, émotionnelle, rationnelle, intellectuelle. Se pourrait-il que notre vie rêvée soit devenue une quête de l'orgasme perpétuel ?

D'acte naturel et normal, le sexe est devenu le carburant du siècle, au même titre que l'argent. Nous ne sommes plus des générateurs d'amour, nous sommes des consommateurs d'amour, en actes et en images. La dramaturgie de l'univers sexuel réchauffe les esprits, le monde s'excite, il s'éloigne à la vitesse grand V de la sagesse et de la sérénité. Dans notre monde hypersexuel et hypergonflé, Montaigne, qui aimait l'amour autant que la paix, ne retrouverait pas ses chats. « La satiété engendre le dégoût », écrivait-il. Laissons-le conclure : « Il n'est rien si empêchant, si dégoûté, que l'abondance. Quel appétit ne se rebuterait-il pas à voir trois cents femmes à sa merci, comme les a le grand seigneur en son sérail ? »

Pascal n'était pas un radical

Aujourd'hui, je pense à Blaise Pascal, un esprit fin s'il en fut, capable de croire en Dieu tout en doutant profondément de son existence, capable de faire de la géométrie tout en parlant de morale, auteur de cette simple sentence : « Le cœur a ses raisons que la raison ne connaît point. » Ce grand philosophe raillait la philosophie, tout en philosophant, ce grand mathématicien se moquait du savoir scientifique, tout en prenant la science au sérieux, remarquant au passage que la seule chose dont il fût assuré, c'était qu'il allait mourir. Il a vécu dans l'incertitude et dans le doute, examinant l'envers et le revers des choses, soulignant la solitude de l'humain dans l'infini de l'Univers, la finitude dans l'infinitude, répétant sans cesse que, sur le fond, nous n'en savons rien.

Pascal écrit : « C'est une maladie naturelle à l'homme de croire qu'il possède la vérité. » Je doute que les idéologues des radios populaires aient lu ou étudié les œuvres de Blaise Pascal. Je doute que les donneurs de leçons, les chroniqueurs péremptoires, les gérants de toutes les estrades du monde aient compris la profondeur des idées de Pascal. Car le philosophe n'avait pas de vérités absolues ; il avait des idées universelles. Pascal trouve en effet que « trop de vérité étonne », il dit que « l'expérience et l'intuition nous commandent de nous méfier des vérités radicales ». Qu'en est-il exactement ? Tout simplement, disons qu'il est bon de reconnaître que l'être humain qui pense vraiment à ce qu'il dit, qui réfléchit vraiment avant de parler, sera forcément entraîné dans les nuances du doute. Déjà, Descartes avait élevé le doute au rang suprême de la pensée et de la réflexion. Réfléchir, c'est cheminer, ce n'est pas s'asseoir bêtement le derrière sur ses certitudes.

Quand j'étais jeune anthropologue, j'ai vu ma candidature à un poste de professeur à l'Université du Québec refusée parce que mon profil ne cadrait pas avec les orientations idéologiques du département. J'étais qualifié, j'étais talentueux, j'avais tout pour faire carrière dans l'enseignement, mais il me manquait l'essentiel : la vérité. Cette vérité était pour l'heure le matérialisme historique, la pensée de Karl Marx. Il fut une époque où penser en dehors des modèles marxistes était une hérésie. C'était Marx ou rien. Pas question de soulever un doute, pas question de sortir du sentier marxiste. Vérité absolue, indiscutable. Parce que je me situais en dehors de ce mouvement idéologique, parce que j'osais critiquer les écrits de Marx, je me suis retrouvé dans la marge. Victime d'une plus-value de vérité, je me suis retrouvé dans le doute et dans l'erreur, et, à défaut de m'asseoir sur les vérités de mon temps, je me suis réfugié dans le monde ancien des idées, lisant et relisant Montaigne, Pascal et autres penseurs démodés, poussant mes errements jusqu'à Camus, jusqu'à Jankélévitch et Bachelard, autant de penseurs libres qui se méfiaient de la vérité comme de la peste. Bachelard le scientifique, Bachelard le grand savant de la raison qui trouvait son réconfort dans la rêverie…

Peut-être que Mao avait raison, peut-être qu'il avait tort. Peut-être que les témoins de Jéhovah détiennent la vérité et l'ont toujours détenue. Qui saurait juger sans aucun doute raisonnable de ceci ou de cela ? Dans ma vie, j'ai souvent été assommé par la vérité des détenteurs de vérités. *Assommé* est le mot. Au détour des rencontres, il s'est trouvé tant de personnages cherchant impoliment à m'imposer leurs certitudes. Pas moyen de répondre, pas moyen de respirer, pas le temps de réfléchir ou de penser. Devant ces vérités autoproclamées, il n'y avait qu'à se prosterner.

Les humains ne sont pas faits pour s'entrassommer de vérités et de contre-vérités. Ils sont faits pour se convaincre et se persuader. L'art de la conversation accompagne l'art de la réflexion. Et si, comme dit Pascal, « toute la dignité de l'homme est en la pensée », alors il faut s'atteler à la tâche d'être digne de notre humanité. Je crois en la bonté de la créature humaine, mais je suis loin d'en être sûr.

La belle et le monstre

J'ai grandi dans un monde où les monstres étaient plus rares qu'ils ne le sont aujourd'hui. Enfants des années 1950, nous n'avons pas été élevés à l'ère des milliers de zombies marchant dans les rues à la recherche de cerveaux à manger ; nous n'avons pas vécu sous la menace de ces créatures horribles venant des entrailles de la terre ou des confins de l'espace, ou même issues des idées noires de notre religiosité tordue, règne des possédés et des enfants du diable, chambre de l'exorcisme et des poupées maudites. Nous n'aurions pas survécu à un massacre à la tronçonneuse. Deux ou trois monstres triés sur le volet, des personnages mythiques ayant des racines historiques reconnues, suffisaient à nous intimider. Outre Dracula, le vampire de Transylvanie, il y avait cette créature, cet homme fabriqué de toutes pièces, c'est le cas de le dire, à partir de différents cadavres, par un savant fou dans le sous-sol d'un château humide et européen. Il s'appelait Frankenstein, et son nom, déjà, nous semblait effrayant. Nous n'avions pas lu le roman, nous avions vu le film, celui des années 1930, et nous connaissions le monstre sous les traits de l'acteur Boris Karloff.

Le XIXe siècle annonçait l'ère de la mécanique. Les parties de Frankenstein sont disparates, les remettre ensemble pour constituer un corps relève des plus grands exploits chirurgicaux. Sans parler de la greffe de la tête et du réveil d'un cerveau. Quelle vision fulgurante de l'avenir ! Le corps sera reconstitué morceau par morceau, jusqu'à ce qu'il trouve forme et vie. Frankenstein est rapiécé, il représente un sommet dans l'art de la suture.

Ainsi, au début du XIXe siècle, la véritable auteure de Frankenstein, Mary Shelley, annonçait l'ère mécanico-organique de la chirurgie de la greffe. À la fin du même siècle, un autre auteur pressentait la naissance de l'ère numérique. Villiers de L'Isle-Adam écrivait *L'Ève future*, un roman fantastique très bizarre. Un médecin fou voulant consoler un ami en grande peine d'amour décide de lui créer une femme parfaite. Contrairement à Frankenstein, cette Ève est d'une grande beauté, sa peau est douce et lisse, son corps idéal. Elle n'a aucun défaut, aucune aspérité, aucune émotion négative, aucune pulsion destructrice. Mais en plus, sans trop en voir les conséquences, le médecin a doté Ève d'une intelligence artificielle. Cette intelligence devient « autoapprenante » et notre belle Ève se transforme lentement en un être d'une grande spiritualité ; elle s'échappe du monde réel, s'évade dans le virtuel. C'est le logiciel Siri en chair et en os ! La boucle est bouclée : en deux siècles, nous sommes passés du mécanique à l'organique, de l'organique au numérique, pour revenir à la folie de l'inventeur, dans le cadre d'une inflation spirituelle ingouvernable. Ève a la tête dans le nuage, littéralement. La seule existence de cette créature idéalisée bafoue tous les aspects physiques et psychiques de la femme réelle, tout comme elle condamne l'humain en général pour son indécrottable grossièreté.

Il faut imaginer Frankenstein heureux. Il aurait rencontré l'Ève future dans un Genius Bar. Oui, le monstre serait tombé amoureux de la belle femme numérique. Ensemble, ils auraient eu des enfants, frisés avec des taches de rousseur, à moitié beaux, à moitié laids, supérieurement intelligents mais pas trop, à la psyché intense mais instable, des êtres humains en somme, héritiers étourdis de l'exagération des dieux.

Voler pour écrire ou écrire pour voler ?

Quoi de mieux en vérité que de partir, seul, en veste de cuir, cigarette au bec, de prendre le ciel comme on prend la route, aux commandes d'une machine dont on sent l'effort continu, dont on entend ronronner le moteur, pour le service de la poste, pour l'Aéropostale, tandis qu'on explore encore des possibilités, qu'on repousse des limites, en ouvrant des routes exotiques, l'Afrique, l'Amérique du Sud, en traversant des montagnes, des déserts, avec la solidarité des pilotes, la connaissance des risques, la mise à l'épreuve de la machine et de l'homme ? Quoi de mieux pour voir le monde comme personne ne l'a jamais vu ? Pour voir le monde de loin, de haut.

Nous sommes ici dans l'obstacle et dans le dépassement. L'écrivain est un aviateur qui est un homme d'action. Pensée simple, qui trouve son sens profond dans le bruit du moteur, dans le bruit ancien de ces vieux moteurs, du temps où l'avion aussi était encore primitif. Je retiens de Saint-Exupéry le regard d'un enfant aux commandes d'un jouet d'adulte : aller plus loin, plus haut, plus longtemps, défier la nuit, l'espace, la distance. Il a trouvé dans l'avion ancien le véhicule à la fois réel et métaphorique de l'évasion, de l'élévation.

Homme maladroit, pilote qui a mal vieilli, Saint-Exupéry ne semble pas fait pour le monde dans lequel il vit et dans lequel il va mourir, très jeune, à quarante-quatre ans. Il est ailleurs, dans ses pensées, ses rêves, sa bulle, sa planète imaginaire. Distrait ? Comme s'il ne faisait que passer, que voler, que vivre intensément. Umberto Eco a écrit : « Nous ne savons pas s'il volait pour écrire ou s'il écrivait pour voler. » Son écriture est celle de l'action, du combat, de la résistance, mais c'est aussi la vision de la lumière dans la nuit, les étoiles au sol.

Le monde de l'enfance, le malheur d'être sorti de l'enfance, le regard de sa mère, celle « pour qui on revient ». Qui n'aimerait pas qu'on écrive sur sa pierre tombale : *Aviateur, auteur du* Petit Prince ? À lui seul l'aviateur, par son innocence et sa profondeur, a créé un personnage plus populaire que Mickey Mouse, une réponse à *Mein Kampf.*

L'aviateur aurait voulu être jardinier. Faire pousser de la beauté. Faire les gestes simples, avoir les pensées fécondes qui sont la rédemption de l'être. Il y a plus dans une fleur que dans toute la géopolitique du monde. Les humains portent en eux cette poésie, qui est l'autre monde à côté, une vérité invisible sauf pour le cœur, pour autant qu'on en ait un qui bat pour vrai. Seul l'enfant sait ce qu'il cherche, car l'enfant attache de l'importance aux choses, il les apprivoise, il s'y attache, il crée des liens entre lui et tout ce qu'il voit. Seul l'enfant se colle le nez à la vitre du train, les yeux ouverts, lui seul est encore capable de rêver les paysages qui défilent, aussi monotones soient-ils.

Voir ce que personne ne voit, refuser le sérieux, le calcul, la cause et l'effet, oui, refuser le sérieux tout simplement. C'est cela être un petit prince, un enfant. Car le sérieux des personnes adultes a tué la beauté du monde. Le petit garçon voit des étoiles, des planètes allumées, des réverbères, et le renard est un très grand philosophe. Mais qui consulterait le renard, qui écouterait une fleur, qui ramonerait des petits volcans dans notre monde fonctionnel, pragmatique, qui croit posséder la terre parce qu'il la mesure, la quadrille, l'objective ?

Depuis la visite du Petit Prince sur la terre, depuis l'accident de l'aviateur dans le désert, depuis les révélations étonnantes de l'enfant tombé du ciel, il s'en est passé, du temps. Il y avait deux milliards d'humains sur terre à l'époque de Saint-Exupéry. Cette population s'est multipliée par quatre depuis. De quoi piétiner les roses, de quoi chasser les renards philosophes. Ne vous attachez pas à l'avion que vous prenez, il y en a chaque jour quatre-vingt-cinq mille qui s'envolent, dans le bruit assourdissant d'un monde à réaction, pilotés par des ordinateurs. Et, cela va sans dire, à bord de ces avions on n'a pas le droit de fumer.

Les tribulations d'un intellectuel ordinaire

Depuis cinquante ans, je me passionne pour les idées, pour l'histoire, pour toutes les questions relatives à la nature de l'humanité, du Cro-Magnon jusqu'au cyborg. J'ai la pulsion d'écrire, le penchant de penser et, puisque je ne comprends rien du monde, je n'ai d'autre choix que de constamment l'interroger. Plus encore, depuis trente-cinq ans, je prends la parole. J'en ai littéralement fait un métier. J'ai depuis longtemps passé le cap des mille conférences, devant les publics les plus divers. J'ai parlé des morues atlantiques, des épinettes noires, de la traite des fourrures dans l'histoire de l'Amérique, de l'identité culturelle, de la langue française, de la franco-américanité, de la franco-amérindianité, de l'éducation, du souffrir, du mourir, des Premières Nations, des remarquables oubliés, des animaux sauvages, du castor, des caribous, de l'eau, de la nature, de l'avidité économique, de l'obsession quantitative, de la croissance technologique, de l'avenir de nos enfants, de la nordicité, de la beauté, de l'imaginaire, du symbolique, de la diversité culturelle, de l'histoire, des histoires du monde et de l'humanité. Voilà de quoi j'ai parlé devant les gens en Acadie, dans le Nord, dans les communautés autochtones, dans les villes et les villages, en Abitibi, en Mauricie, en Gaspésie, sur la Côte-Nord, en Ontario, au Grand lac des Esclaves, à Vancouver, à Edmonton, à Mont-Laurier. Je roule comme roule un routier, j'ai mal au dos comme lui. Je parle aux infirmières, aux fonctionnaires, aux camionneurs, aux policiers, aux éducatrices, aux médecins, aux pêcheurs, aux travailleurs de la forêt, aux Innus, aux Anishinabés, aux vieux, aux jeunes, aux malades. Les salles sont pleines de monde, toujours, même les soirs où le Canadien joue un match ultime des séries éliminatoires.

Je parle d'ailleurs pendant aussi longtemps que dure un match de hockey. Les auditeurs m'écoutent avec une grande attention et c'est magique de les voir aussi intéressés. Ils ne se lèvent pas pour aller acheter de la bière et des hot-dogs, car ils ne veulent pas manquer un mot de la conférence. Il faut croire que les gens ont soif d'idées, d'histoires, de pensées originales et de contenus bien étayés. Il est faux de prétendre que le public n'aime que les choses vite dites et vite exprimées. Le public aime le respect qu'on lui voue. Or il y a des tas d'experts et de spécialistes dans les médias et en politique pour croire et affirmer le contraire. C'est avec arrogance et un léger mépris qu'ils jugent les gens ordinaires, se croyant supérieurs à eux dans l'évaluation du monde. Je prends souvent comme une insulte personnelle ces préjugés à l'égard du public et du peuple.

Au milieu de ces experts pseudo-connaissants, il y a beaucoup trop de bruit pour qu'une idée, aussi précieuse et originale soit-elle, ait une chance légitime de se faire entendre. Je dis *entendre* dans son sens le plus noble, c'est-à-dire « bien comprendre ». L'idée de valeur n'a aucune chance de se faire valoir, car parmi les caractéristiques les plus remarquables de notre époque se trouve justement son animation, son excitation, sa surproduction de phrases, d'énoncés et d'idées. Il se raconte littéralement n'importe quoi et il existe un support universel pour relayer ce n'importe quoi. Il n'est plus de valeurs dans un monde où tout se vaut, se dit, s'édite, s'exprime, sans que l'on essaie de faire la moindre distinction entre une pensée originale digne d'être soulignée et une opinion d'occasion, de surface et de convenance.

Jadis, le savoir valait son pesant d'or. Aujourd'hui, la simple érudition ne vaut plus rien. Les informations péniblement acquises pendant des années de recherches et de lectures, de maturation et de réflexion, sans parler de la longue expérience de certains terrains de la vie concrète, sont bousculées massivement et neutralisées par ce qu'on retrouve sur Internet ou sur des plateformes diverses. Tout de tous à propos de tout, en un clic. Si ce site ne vous convient pas, un autre clic, un autre site. Bien sûr, cela souffre côté synthèses, liens et relations intelligentes, mais qu'à cela ne tienne, tout est là et plus encore, des tonnes d'informations erronées en prime, des cargaisons de charabia et des cargos de charlataneries.

Le savoir est devenu une information en conserve, un contenant. Faute de qualité intrinsèque, le fast-food de l'esprit est lui-même devenu une mine inépuisable de données disparates, de nouvelles insolites, de statistiques étonnantes, de commentaires brefs, d'étonnements constants dans des champs infinis d'insignifiance primaire. Le reste est à l'avenant. Je vis dans un monde de papotage et de cabotinage, le rythme accéléré des propos témoigne d'un effarouchement général devant le temps qui passe ; il faut parler vite, écrire court, les caractères nous sont comptés, nous devenons la société du *one-liner*, et l'ego est une marque qui a besoin d'« *exposure* ». Les faux intellectuels ont bel et bien pris d'assaut la place publique.

Pour mon humble part, je n'ai jamais arrêté de proposer des idées de belles séries historiques aux diffuseurs et aux producteurs. Toujours refusées, toujours refusées. Selon ces experts de la diffusion des savoirs, il paraît que le public n'aime pas l'histoire, encore moins les idées. Il n'aimerait rien d'autre que les niaiseries extrêmes qu'on ne cesse de lui proposer aux heures de grande écoute. Finalement, selon cet esprit, l'écoute ne serait que quantitative.

Avoir de la valeur est une chose. Avoir la cote en est une autre.

La Mère de ma mère

J'ai déjà évoqué ce souvenir de jeunesse : ma mère, une fois toutes ses tâches accomplies, qui lisait un roman en sirotant une bouteille de Coca-Cola avec deux pailles en plastique dont les extrémités étaient tachées de rouge à lèvres. Le roman, je m'en souviens, était un livre de poche écorné dont la couverture représentait une jeune femme asiatique, portant sur son dos un enfant endormi. Je revois le nom de l'auteure, en lettres rouges, un nom qui sonnait si curieusement dans la bouche de ma mère : Pearl Buck. Ce petit livre, on le retrouvait partout dans la maison, sur le coin d'une table, sur le bras d'un fauteuil, il faisait partie des meubles, il se fondait dans le décor de nos vies. Ce livre, il s'intitulait : *La Mère.*

Je me souviens du jour où ma mère a fait à son sujet une déclaration solennelle : « C'est le plus grand roman jamais écrit, et c'est l'œuvre d'une femme ! » Faut-il le souligner, ma mère prenait toujours la part des femmes quand il s'agissait de distribuer les mérites de l'humanité. Mais qu'est-ce qui la faisait aimer si profondément ce roman, *La Mère* de Pearl Buck, ce roman en particulier auquel elle revenait toujours, et qui accumulait au cours des ans les petits coins pliés et les gribouillis dans les marges ?

Ma mère n'avait pas eu de mère ; en fait, sa maman était morte jeune, subitement, laissant quatre fillettes en bas âge.

Ce vide l'avait toujours poursuivie, elle croyait même que son père, pour pouvoir vivre avec une autre femme, avait joué un rôle dans ce décès inattendu. Depuis toute petite, ma mère avait appris à se méfier des hommes, du moins à ne pas compter sur eux. Une fois mariée, elle accoucha de huit bébés dont quatre moururent dans les jours suivant leur naissance. Dans son esprit, la maternité était indissociable de ce fil ténu qui sépare la vie de la mort. Les quatre enfants qui survécurent devinrent des bouches à nourrir. Mes parents étant plutôt pauvres et mon père, joyeusement irresponsable, ma mère a vécu une maternité remplie d'inquiétudes : elle devait recourir constamment à toutes les ressources de son ingéniosité pour économiser cenne par cenne afin de nourrir ses petits, une becquetée à la fois. Sa vie de mère fut un sacrifice complet pour que nous puissions devenir ce que nous sommes devenus, des enfants bien élevés, éduqués, bien armés pour vivre. Nous étions sa vengeance, sa fierté.

Jeune adulte, j'ai fini par lire *La Mère* de Pearl Buck. C'est l'histoire d'une paysanne chinoise, une mère courage qui tient seule ses enfants à bout de bras envers et contre toutes les misères. Ma mère aimait ses enfants, mais elle rêvait certainement d'autre chose, en tout cas d'échapper à sa condition. Elle était travaillée par toutes sortes d'idées qui émergeaient çà et là, des idées modernes qui au fond avaient toujours couvé en elle. Elle aurait voulu une profession, au moins travailler à l'extérieur de la maison. Elle aurait voulu avoir le choix de ses maternités. Elle en aura toujours voulu à son époque.

En attendant que ses enfants grandissent, elle lisait et relisait *La Mère,* comme pour se conforter dans son rôle, pour se donner du courage au sein d'un monde dur qui n'avait que faire de ses rêves et de ses ambitions. Aujourd'hui, c'est au tour de ma mère d'être devenue un roman à mes yeux. L'histoire de ses renonciations, mais aussi de ses rebondissements, s'ajoute à la trame universelle des histoires de toutes les mères de tous les temps, et cela fait un petit livre écorné, dans le décor de nos vies, qui s'appelle *La Mère.*

* * *

Lorsqu'en Chine je vis pour la première fois ma fille, Lou, elle était dans les bras d'une nounou. Venue du fond de la pièce, cette nourrice qui s'occupait des enfants à l'orphelinat s'approcha de Marie, ma femme, en scandant ces mots à l'oreille du bébé : « *Mama ! Mama ! Mama !* » La petite fille de dix mois était tout étonnée, bousculée par cette curieuse cérémonie. Je revois ses yeux grands ouverts, on aurait dit qu'elle interrogeait l'univers entier. Qui sont ces gens ? Qu'est-ce qui m'arrive ? Qu'est-ce que ce mot ? Marie ouvrit les bras, la nounou lui tendit le bébé tout en répétant, telle une incantation magique : « *Mama ! Mama !* » Marie serra la petite Lou contre elle, des larmes dans les yeux, l'accueillant de toutes ses forces, heureuse et un peu étourdie, après deux ans d'attente, de devenir si soudainement une maman. En une seconde fulgurante, j'ai vu la puissance et la profondeur du lien maternel. Je voyais Marie, entièrement prise par cette enfant, saisie ; déjà, elle ne s'appartenait plus. Je voyais ce bébé fille, toute ronde, qui demandait à être rassurée, qui cherchait sans le savoir sa place dans le cosmos, des bras où se réfugier. Et je me vis, moi, en train de me dire : jamais personne ne nous reprendra notre fille. Filons d'ici !

Cette épiphanie remonte à plus de dix-huit ans.

Depuis, notre Lou n'a jamais cessé de dire « maman ! ». On croirait qu'elle le répète sans cesse pour bien s'assurer de la chose. Ce mot semble l'immuniser contre les grandes tristesses du monde. Malgré le passage des années, devenue une jeune fille maintenant, elle prononce le mot magique des milliards de fois dans une journée. Au point d'en inquiéter sa mère, qui se demande si la nounou chinoise n'aurait pas usé de sorcellerie avec la petite, ou du moins d'une forme d'envoûtement. Il est vrai que ce mot, à lui seul, a quelque chose de profondément humain, la phonétique y rejoignant le psychique pour créer une résonance émotionnelle unique. Et universelle. Vous noterez qu'en mandarin, comme dans plusieurs langues du monde, le mot se dit à peu près de la même façon : *mama, maman, mammie, mommy, moman…*

Mais cela me rappelle aussi des souvenirs moins heureux, bien que remplis d'enseignements. Il y a quelques années, ma sœur Christiane, ma bien bonne sœur, tira à la loterie de la malchance une maladie incurable, un cancer foudroyant. Clouée au lit pendant des semaines aux soins palliatifs, elle attendait la mort en se demandant, totalement inquiète, à quoi ce passage ultime allait ressembler. Un matin de printemps, la famille se réunit à son chevet, sachant que sa dernière heure arrivait. Dans le silence pesant, on entendait à peine sa respiration qui s'accélérait et s'affaiblissait, comme si chaque souffle était une victoire contre la mort. Soudain, nous prenant tous par surprise, Christiane se releva dans son lit et, avec ses dernières forces, cria « maman ! », avant de retomber de tout son long ; c'était la fin, elle était partie.

On dit qu'être mère, c'est pour toute la vie. Il semble également que ce lien soit la seule chose qu'on emportera au paradis.

Le point de vue d'Élisabeth

Le point de vue d'Élisabeth

J'ai toujours aimé les femmes. Elles me sont apparues dans bien des rôles, surtout celui de chef. Cette observation n'engage que moi, je n'en ferais pas une thèse, il suffit que j'en aie fait ma vie. Des maîtresses d'école, des collègues, des chercheures, des écrivaines, des poètes, des vieillardes innues, ma docteure, les infirmières, ma sœur, ma mère, ma belle-mère, des tantes, des marraines, des voisines, ma fille, mes petites-filles, ma première femme qui n'est plus de ce monde, mais qui en fut tellement, et ma deuxième, fascinante, drôle, absolue, qui invente avec moi l'espace, le plaisir et le temps, mes cousines, mes amies, celle qui tenait son restaurant de camionneurs à Saint-Jovite de l'ancien temps, et celles que je n'aurai jamais connues mais seulement aperçues, elles m'auront grandement impressionné. Tout homme que je suis, voilà que j'appartiens aux femmes de ma vie, ce sont elles qui m'ont littéralement élevé, dans le sens de construit, modelé, créé. Si j'avais été laissé aux hommes, j'aurais assez mal tourné, je le sais. Batailleur, tricheur, ratoureux, j'aurais fini en prison, ou grand patron de quelque chose, ce qui revient au même. Je m'estime chanceux d'avoir ainsi appris très jeune, de la part des *bonnes* femmes, comment éviter les *mauvaises*... et comment éviter les mauvaises rencontres tout court.

Ma mère, dont je parle souvent dans mes textes, n'a jamais reculé devant qui que ce soit. Elle nous a enseigné à la maison, dès l'enfance, en 1950, « L'Histoire mâle de l'Occident chrétien » et « La Lutte des Grecs anciens pour dévaloriser la femme ». Oui, elle en avait contre le pouvoir des hommes, contre leurs lois, leur politique, leurs manières, et elle n'aurait jamais demandé à aucun homme l'autorisation d'exprimer ses idées. Elle n'était la « douce moitié » de personne. Mais elle aimait les hommes par ailleurs, l'orgueilleuse, l'amoureuse, la dangereuse. Nous savions que notre mère, naturellement, aurait pu être chef du Canada, et si elle ne l'était pas, c'est juste qu'elle n'en avait pas le temps. C'était à cause de ses enfants, ces boulets et ces charges, ces quadruples empêchements. C'était à cause de son « écœurant » de père – comme elle l'appelait affectueusement – qui avait refusé de lui payer des études. C'était à cause de son époque adverse aux femmes, les temps brutaux de l'exclusion des femmes, les temps peu glorieux du modèle patriarcal classique. Mais comment a-t-on pu se priver si longtemps de l'autre moitié du monde ?

À titre de jeune anthropologue, j'ai passé des heures et des heures avec de vieux chasseurs innus qui me parlaient de leur vie dans le bois à chasser le caribou. Au village, je passais souvent près d'une vieille femme agenouillée devant son feu, allumé en face d'une petite tente de toile blanche. Élisabeth faisait cuire son pain dans le sable et elle écoulait le temps de ses journées d'été dans cette position et en ce lieu. Elle avait un sourire inoubliable, des rides profondes et honorables, en fait elle ricanait sous son bonnet montagnais. Elle me dit un jour : « Ils doivent t'en raconter, de belles histoires, tes vieux chasseurs, je suis certaine qu'ils te parlent de caribous et de combien on a mangé de caribous qu'ils avaient tués. Ils sont comiques, les vieux chasseurs. En réalité, c'est à nous, les vieilles femmes, à qui tu devrais parler pour bien savoir comment nous vivions autrefois. Nous mangions quelquefois du caribou, mais ce que nous mangions tous les jours, c'était du poisson pêché sous la glace, du poisson pêché par nous, les femmes. On ne pouvait pas se fier aux incertitudes de la chasse. Pour nourrir la famille, il fallait la certitude du poisson. »

J'aime le point de vue d'Élisabeth. Il rééquilibre l'histoire du monde en racontant celle des femmes. Elle m'a donné une bonne leçon, Élisabeth. Par l'intelligence de son sourire, elle posait un regard critique sur la réalité : la société des chasseurs de caribous avait été, en vérité, la société des pêcheuses de poissons blancs, et c'est sur les épaules de la *squaw* que reposait la continuité des jours.

* * *

Il est devenu impossible de parler des femmes dans une perspective universelle. Je viens de rédiger trois paragraphes que j'ai dû jeter à la poubelle. Un mot de trop est un mot de trop, un mot qui manque est un mot manquant, le sujet est d'une sensibilité extrême. Il devient de plus en plus difficile de rire, de sourire, de s'autoriser une pensée légère et vagabonde, car trop de sujets sont devenus si douloureux. Dans ces paragraphes ratés, je me posais des questions naïves, du genre : qui a dit que les hommes et les femmes aient jamais été faits pour vivre ensemble ? Ils se fréquentent, bien entendu, leurs chemins se croisent, heureusement, chacun et chacune peut bien adorer le moment, mais il arrive que ce soit un instant, justement. Là où les choses se compliquent, c'est dans l'intervalle, au fil des longs jours et des longs cours. Le monde des femmes m'a toujours fasciné, mais je n'en aurai jamais percé le mystère. Les femmes sont bien entre elles, elles forment une compagnie étroitement liée, elles tiennent des conversations qui m'échappent.

La femme traditionnelle iroquoise détenait beaucoup de pouvoir dans sa société matrilinéaire. De génération en génération, elle possédait la maison, la descendance, les patronymes, les appartenances claniques, autrement dit la progéniture, elle pouvait choisir son homme, répudier un mari, faire de la politique, elle était la gardienne de graines sacrées, donc propriétaire des produits horticoles, contrôlait le commerce et la diplomatie. Les femmes iroquoises avaient besoin des hommes pour l'amour, pour les travaux de force, pour la sécurité des villages, pour les guerres qu'elles désiraient faire, pour le commerce. Elles n'avaient nullement besoin d'eux dans la vie de tous les jours et elles s'arrangeaient en effet pour que les hommes passent le maximum de temps entre eux, en voyage, loin du village.

On peut donc imaginer que les femmes passaient beaucoup de temps ensemble, dans leurs maisons longues, dans leurs champs de maïs et de haricots. Et si un homme s'en prenait à une femme, il avait affaire à tous les hommes du clan, il avait sur le dos toute la parenté maternelle, avec laquelle on ne riait pas.

Personne n'a jamais dit que la femme iroquoienne souffrait d'une quelconque infériorité par rapport à l'homme, loin de là. Les femmes étaient de grandes figures mythologiques, de la fondation du monde jusqu'aux mythes cannibales, là où elles ne faisaient qu'une bouchée de l'homme perdu. Les femmes ont accumulé un immense savoir médical et agricole au fil des siècles passés ensemble, entre elles. Pauvres hommes, condamnés à l'exil, loin de la maison, voyageurs de commerce, politiciens d'apparat, pour ne pas dire d'opérette, guerriers obligés de vivre entre eux, avec leurs farces d'hommes, leur angoisse d'hommes. Cet état des lieux iroquoiens n'est pas exceptionnel dans l'histoire. On le retrouve dans la très ancienne Europe.

On ne se souvient pas assez et on ne nous enseigne pas

assez que la première croyance était féminine. La déesse originelle était forte de son sexe, de son ventre, de sa fécondité. Les plus vieilles sculptures humaines retrouvées sont des représentations de femmes au ventre fort, de femmes immensément rondes, des vénus sans visage. Mais il y avait plus. Cette déesse était guerrière et redoutable, elle avait ses duretés, ses volontés. Elle était aussi cruelle que douce, sachant flatter une petite bête, mais pouvant lui briser le cou, dans la même séquence.

J'écris ces lignes alors que ma femme est au théâtre avec une amie. Elles sont allées voir *Douze hommes rapaillés,* deux femmes entre elles. Qu'est-ce que les hommes viennent faire dans un texte sur les femmes ? Ils viennent tout simplement résoudre l'équation fondamentale de notre simple humanité. Gaston Miron écrit ces vers magnifiques : « Ainsi nous serons ce couple ininterrompu – tour à tour désassemblé et réuni à jamais. » Voilà la magie des genres et de l'amour. Les hommes rapaillés : aux yeux des femmes, c'est beau, des hommes, une douzaine d'hommes debout, bien plantés, solides et tendres, qui chantent : « Tu es belle comme des ruses de renard. »

Être ou ne pas être de la famille

J'avais vingt ans et je quittais les miens pour la première fois de ma vie. Pour mes études en anthropologie, je me suis retrouvé parmi les Innus. Durant les longues périodes que j'ai passées avec eux, l'importance qu'ils attachaient aux termes de parenté m'a fort impressionné, et j'étais complètement perdu devant leur manière de les utiliser. Il y en avait, du *Nimushum* et du *Nokum,* du *Nokomis,* des petites grands-mères et des petits grands-pères, cela n'arrêtait plus, mon frère, ma sœur, des parrains et des marraines, sans parler des adoptions, des absorptions, des associations, des alliances, des amitiés avec des souvenirs ou des animaux.

En anthropologie, nous avions pourtant suivi des cours sur les systèmes de parenté. Ces cours étaient d'un ennui remarquable, certes, mais ils étaient surtout d'une grande complexité mathématique et logique. Cela paraît simple au départ, une famille, mais en somme, c'est quelque chose de très compliqué. Les ramifications sont sans fin, les combinaisons infinies, les ascendances, les descendances, les alliances, tout concourt à rendre fou l'ethnologue de la parenté. On se souviendra que Claude Lévi-Strauss, qui est le père de l'anthropologie structurale et qui a lui-même fondé une famille, celle des structuralistes, avait commencé son œuvre gigantesque en écrivant une somme sur *Les Structures élémentaires de la parenté.*

Nous sommes parfois déjoués par les lieux communs : certains croiraient désuète, folklorique et obsolète la chanson de Jean-Paul Filion qui dit que « la parenté est arrivée ». Ils diraient que cela fait local, traditionnel, joli, mais totalement dépassé. L'anthropologie vous dira le contraire. Voici une proposition universelle sur laquelle il est extrêmement moderne de réfléchir : nous venons au monde en un lieu et en un milieu. Il est impossible de voir ou de dire les choses autrement. C'est une loterie, me direz-vous : on ne choisit pas son camp en matière de famille. Il y a une mère, il y a un père. Chacun des deux apporte avec lui son réseau parental. Car nos parents sont aussi nés quelque part, en un lieu et en un milieu.

La famille est un territoire qui définit la frontière : c'est le rapport inclusif-exclusif. Nous sommes dans l'appartenance lorsque nous sommes dans la parenté et, il faut bien le dire, l'héritage familial est pesant. Puisque la famille représente une sorte de table des devoirs et des prescriptions, beaucoup dans l'histoire ont voulu s'en libérer. « Familles, je vous hais ! » s'exclamait André Gide. La famille étant trop exigeante, il est de bon ton de simplement la renier. Je ne dois rien à ma famille, je suis plus libre quand je suis seul et détaché des miens. D'ailleurs, les expressions disent tout : ces gens sont les miens, il est retourné parmi les siens, j'ai quitté les miens pour couper les liens. Il s'agit bien de liens, en effet, et ces liens forment la carte de nos identités.

Les sociétés traditionnelles, avant d'être économiques ou politiques, avant même d'être religieuses, étaient familiales. C'était la parenté qui définissait l'individu, le pouvoir de l'individu, les devoirs du sujet. Être matriarche, mère de clan, être patriarche, tout cela avait jadis un sens. Mais encore : être frère, sœur, cousin, germain, croisé, petite-fille, grand-oncle, tante, grand-mère, grand-père,

« fils de » ou « fille de », patronyme ou matronyme, il fallait savoir sa place et savoir la tenir.

La société algonquine est immensément parentale, familiale et ouverte. Elle adopte, elle adopte. Une fois que vous êtes accepté dans la famille, vous êtes vraiment dans la famille. Dans le temps de la Nouvelle-France, les peuples de la grande Algonquinie faisaient des traités d'alliance avec les Français comme s'il s'agissait de toujours agrandir la famille. Le roi devenait un autre père, le Français devenait un frère, et tout se traitait sur fond d'un conseil de famille. Quant à moi, j'ai mis une vie à comprendre. La dernière fois que je suis allé à Mingan Ekuanitshit, j'ai été reçu comme un vieux, on m'a intronisé à la table des aînés, et l'on m'a regardé comme si j'avais quelque valeur. J'ai mangé de la graisse-pimi de caribou, mélangée avec de la moelle, et juste un peu de viande, comme les vieux. Être ensemble, cela compte tellement quand on commence dans la vie. Cela compte encore plus quand on arrive, boiteux, à la fin du chemin.

Ils mangeaient du courage

Il n'est pas de plus grande transformation que la sédentarisation d'un peuple nomade. Depuis des siècles et des siècles, dans le nord du Québec, les Amérindiens parcouraient la Boréalie à pied, en raquettes, en petit canot. Toute la famille mangeait de la « viande de bois », des fruits sauvages, des poissons de lac. Durant la pause estivale, ces grands marcheurs au repos consommaient du saumon frais, du loup-marin, arrosés de thé, rehaussés de banique, sorte de pain pita des temps d'avant le pain pita. Ajouté à l'incroyable bénéfice de la marche, des portages et de la dépense quotidienne d'énergie, ce régime donnait aux personnes une santé de fer et un sourire de cinéma, toutes dents blanches dans la lumière. Mais la vie sauvage dans le pays sauvage, les viandes du courage, tout cela disparut d'un coup en 1960, lors d'une révolution qui ne fut pas tranquille.

Ces courses s'arrêtèrent à cause de l'école, à cause des maisons, à cause de l'histoire. Une fois que les nomades furent immobilisés dans la réserve indienne, leur régime alimentaire se transforma radicalement. Du jour au lendemain, ne pouvant plus chasser, ces gastronomes de la nature sauvage se mirent à dépendre de la nourriture transformée : du blé d'Inde en crème, des petits pois de fantaisie, des bines Clark, du baloney, des délices en conserve, du *stew* irlandais, des petits gâteaux Vachon. La nourriture transformée est elle-même un phénomène historique de transformation absolue. La société industrielle a compté sur cette énorme métamorphose des aliments pour satisfaire les appétits de milliards de consommateurs. Les usines de ketchup roulent jour et nuit depuis près de cent ans. Toujours le même ketchup. Les Amérindiens du nord du Québec et du Canada sont donc tombés d'un coup dans la marmite des mets usinés.

L'autre jour, en préparant une de nos émissions de radio, notre équipe s'est réunie à l'heure du lunch pour brasser des idées. Devant mes camarades, je réfléchissais à voix haute sur le sandwich que j'étais moi-même en train de manger, machinalement. Il s'agissait de flocons de jambon, mélangés à un semblant de mayonnaise, entre deux tranches de pain blanc beurrées. Je dis à la blague : « C'est probablement ce que l'on donnait aux prisonniers d'Alcatraz quand les cuisines tombaient en panne. Mon sandwich pourrait s'appeler : Pique-nique à Alcatraz… » Nous avons bien ri. Toutefois, c'est bien de cela qu'il s'agit. Des milliers d'années de bouffe naturelle pour en arriver là, au XXIe siècle : comme des prisonniers, manger des mets transformés, des tomates modifiées, des viandes hormonées, des salades Monsanto, des saumons d'élevage, saumons de prison. Tout en sucre et tout en sel, nous devons mener des guerres quotidiennes pour nous défendre contre les aliments industriels. Nous passons plus de temps à lire les étiquettes qu'à manger.

Enfant de l'après-guerre, j'ai été élevé avec cette bouffe sortie d'on ne sait où. Qu'est-ce qu'une saucisse à hot-dog, comment fait-on le Paris Pâté Cordon bleu, pourquoi garde-t-on toujours le souvenir du steak de baloney cuit dans la poêle et retroussé comme un sombrero ? Que serait le monde sans bœuf haché ? Un monde sans Big Mac ? J'ai tellement mangé dans ma vie de sandwichs au simili-poulet avec un Mae West pour dessert ! C'est le menu de ma vie qui défile devant mes yeux. Frappés par le train de la modernité, comme ma génération, les Amérindiens de 1960 furent obligés d'abandonner la nourriture du courage pour adopter celle de la consolation, croustilles, beignes sucrés et pizzas. Un petit Coke avec ça ?

Faut-il qu'elle soit toxique, notre vie moderne, pour que le carburant qui nous fait avancer soit le poison qui nous fait mourir.

Le jour du grand merci

À la famille nomade qui passait l'hiver au cœur de la Boréalie, que pouvait-il arriver de pire que la famine ? Cette terrible malchance pouvait frapper les familles innues un peu comme la perte d'emploi le prolétaire, qui s'enfonce dans la grande misère et risque de se retrouver à la rue avec tous les siens. L'Innu dépité tentait alors de rallier la côte pour trouver du secours. Dans l'ancien temps, les familles innues en famine qui sortaient du bois en débandade étaient reçues par les familles de pêcheurs nord-côtiers, qui les accueillaient dans leurs maisons et les nourrissaient de poisson et de patates pour le restant de l'hiver. Il faisait froid dehors, les tempêtes se succédaient, il fallait rester dans la maison, au chaud, une maison bien petite pour autant de monde, mais quand même, un foyer. Autrement dit, les femmes, les enfants et les chasseurs étaient toujours accueillis en cas d'urgence, il n'était pas question de les laisser mourir sur le pas de la porte. De même, quand d'aventure des pêcheurs s'improvisaient trappeurs et s'enfonçaient dans les bois durant l'hiver, qui pour eux est une saison morte, il arrivait que ces hommes de la mer se fassent piéger par les avanies de la terre, qu'ils tombent malades, qu'ils s'égarent, qu'ils se blessent, qu'ils s'empoisonnent avec une nourriture en conserve. Alors ils n'avaient plus qu'un seul secours, trouver des campements de familles innues, s'y rendre pour s'y réfugier. Les Innus, alors, leur rendaient la pareille, c'est-à-dire les accueillaient, les soignaient, les nourrissaient et les ramenaient sains et saufs à la côte.

Par contre, nous le savons, ouvrir une porte peut s'avérer désastreux quand les hôtes sont mal intentionnés. Aux premiers jours des Anglais en Amérique, les Algonquiens wampanoags et leur chef Massasoit accueillirent sur les rives de Plymouth au Massachusetts des barques de protestants en peine. La bible dans la main, les pèlerins étaient dans un piteux état en mettant le pied sur la plage. Ils étaient trempés, affamés, frissonnants et apeurés. Les Indiens magnanimes les protégèrent contre le premier hiver, le froid, la dépression saisonnière, ils les nourrirent de dinde sauvage, de pain de blé d'Inde, les abritèrent, les rassurèrent. Les Anglais retrouvèrent peu à peu leurs esprits, leur vérité biblique et la certitude de leur droit : ils remercièrent leurs hôtes en leur volant leur pays, en les chassant de leurs terres. Depuis, les grands ingrats remercient annuellement le bon Dieu de leur avoir moralement permis de tuer tant d'Indiens et de voler tant de terres, sans aller en enfer. Cela s'appelle la Thanksgiving des Américains.

Lorsque le voyageur, l'errant, le nomade, le survenant, le mendiant ou qui que ce soit s'approche du village, quand il le traverse ou qu'il s'assoit sur le banc public pour souffler, tout le monde le remarque et le reconnaît. C'est le quêteux, le hobo, le guenillou. Pour qu'une porte soit toujours ouverte, cela demande de la foi en l'humanité souffrante. Prends du thé à même ma théière, mange un morceau de pain qui traîne, du pain perdu qui ne demande qu'à être retrouvé, mange une soupe, du ragoût, et après tu reprendras ta route. Ton repos sera le mien. Pour que l'hospitalité fonctionne à plein régime, certaines conditions doivent être remplies : reconnaître la dureté du temps, l'âpreté des enjeux. Qu'avait donc dans le cœur Mackenzie King, le premier ministre du Canada, lorsque durant la guerre il refusa l'hospitalité à un navire de réfugiés juifs qui fuyaient l'Allemagne d'Hitler et espéraient la protection du Canada ?

Aimer ou désaimer le monde, voilà la question.

Libres comme des petits chevreuils

Voici l'histoire d'un couple innu qui aimait beaucoup la musique country. C'était avant la télé, avant même la radio, « dans un temps que les jeunes ne peuvent pas connaître »... Pour satisfaire leur passion de la musique, Marie-Adèle et Michel possédaient un tourne-disque. Marie-Adèle, qui comprenait peu le français, écoutait Renée Martel chanter *Liverpool*, en boucle, jusqu'à complète usure du microsillon. Elle murmurait toujours le refrain : « ... et la fille sur le pont d'acier pousse un cri, pareil au cri d'un remorqueur... » Un jour, leur fille, la petite Mireille, encore bébé, jouait sur la table de cuisine, sous la surveillance bienveillante de Michel. Elle n'arrêtait pas de toucher au tourne-disque. Elle le poussait par petits coups, le poussait, le poussait, jusqu'à ce qu'il tombe par terre. Cela la faisait beaucoup rire. Michel, un homme calme et doux, se levait de sa chaise, ramassait son précieux appareil, le remettait sur la table, heureux qu'il ne soit pas brisé, et demandait à Mireille, sans lever le ton, de cesser son petit jeu. Mais Mireille reprenait son manège, jusqu'à faire tomber le tourne-disque une autre fois. Étonné mais nullement choqué, Michel se relevait, reprenait l'appareil et le remettait sur la table. La troisième fois que Mireille poussa le tourne-disque par terre, il se brisa. Michel eût été justifié, normalement, de hausser le ton, de réprimander sa fille, de la mettre en pénitence, bref, de lui faire comprendre que c'était très grave de briser le cœur de ses parents. Mais il n'en fit rien. Il rangea les débris, prit sa fille dans ses bras, tout en affichant un large sourire paternel. Pour lui, l'épisode était terminé, il n'y avait pas de faute, il n'y avait rien à pardonner. Pour lui, le bonheur de son enfant valait plus que mille tourne-disques roses. Il préférait que son cœur à lui soit brisé plutôt que de seulement risquer de blesser celui de sa fille.

Cette histoire illustre deux choses immenses. La première concerne les vues des Amérindiens à propos des enfants. Réprimander, punir, semoncer, tancer ou gourmander un enfant, cela était impensable parmi les anciens Innus. C'était à l'adulte de réparer patiemment les mauvais coups des enfants, c'était à l'adulte de ramasser les dégâts, puisqu'un enfant, par définition, n'était jamais coupable.

La deuxième chose immense, c'est l'incompatibilité des mondes. Où l'on voit l'ampleur des malentendus entre les chrétiens et les païens sur le sujet de la culpabilité. Dans l'Occident chrétien, l'idée de faute est omniprésente. De la faute originelle à la faute d'orthographe, il y aura toujours peine et pénitence, il y aura toujours l'idée de racheter ses péchés, la possibilité d'être corrigé. Admets tes fautes, confesse tes erreurs, peut-être seras-tu pardonné ? La réflexion sur le pardon se transforme alors en une exploration de la faute, de la culpabilité. Dieu pardonnera-t-il un jour à Lucifer ? Lui pardonnera-t-il d'avoir gagné la partie et noirci le monde ?

Chez ceux que les chrétiens appelaient les païens, rien de tel. Il y a le bien et le mal, bien sûr, mais il n'y a pas de faute originelle. L'humain ne se rachète pas devant Dieu, il se rachète devant son voisin. Il répare un déséquilibre, de sorte que la notion même de culpabilité n'a pas sa place. Les jésuites l'ont souvent rapporté, il n'y avait pas de criminels parmi les anciens Indiens, il n'y avait personne qui portait le poids de tous les péchés du monde.

Beaucoup de penseurs ont voulu penser le pardon. Khalil Gibran l'associe à l'amour. Shakespeare voit dans le pardon la forme la plus achevée de la conscience humaine ; pour pardonner, il faut comprendre, et dans la vie, comprendre l'autre revient à œuvrer pour un monde meilleur. Amour et intelligence sont des voies de dépassement de l'humain : si l'erreur est humaine, le pardon, lui, est surhumain.

Les parents de Mireille aimaient leur petite au-dessus de la mêlée des hommes. Amour surhumain. Les gens d'aujourd'hui ne peuvent pas comprendre…

* * *

Lorsque les premiers missionnaires chrétiens rencontrèrent les Amérindiens des temps anciens, disons au XVIIe siècle, ils s'étonnèrent de beaucoup de choses. Parmi leurs étonnements, le comportement des familles de chasseurs envers leurs enfants ne fut pas le moindre. À peu près tous les religieux, depuis cette époque ancienne jusqu'au XXe siècle, ne manquèrent pas de faire remarquer que les mères et les pères n'« élevaient » pas les enfants, se contentant, comme Marie-Adèle et Michel, de les nourrir, de les protéger et de les aimer sans jamais, au grand jamais, les réprimander. Les prêtres, de culture occidentale et chrétienne, étaient exaspérés par cette façon de faire, ils ne pouvaient concevoir qu'un enfant puisse apprendre et devenir un adulte sans qu'on le punisse, qu'on le guide en le redressant, en tant que tuteur en un mot, qu'on le dompte. Or il est vrai que la société innue, représentative à cet égard de la grande majorité des sociétés amérindiennes originelles d'Amérique, n'imposait aucune discipline à ses enfants, les laissant jouer librement de la petite enfance jusqu'à l'âge des responsabilités, c'est-à-dire vers treize ou quatorze ans, alors que l'enfant passait à l'état d'adulte, d'un coup. Finis les jeux, voici les charges et le travail.

Les peuples algonquiens, innus, eeyous, anishinabés et autres, tenaient leurs enfants en haute estime. Ils les aimaient et les aiment toujours de façon immodérée. Qui pourrait leur en vouloir ? Les enfants jouaient autour des campements, ils allaient dans l'innocence et l'insouciance. Mais ils finissaient toujours par faire des mauvais coups. S'ils mettaient le feu à la tente principale, pour aussi grave que soit la catastrophe, personne ne blâmait les enfants pour leur étourderie. Car un enfant ne peut jamais être coupable, il est toujours innocent, puisque c'est un enfant. Les parents refaisaient l'abri, prenant note de l'affaire. Ils ne se lançaient pas dans une longue démonstration de colère ou une liste de réprimandes. Surveiller mais ne pas punir, telle était la pédagogie des premiers peuples.

On ne peut qu'imaginer le choc lorsque l'État canadien entreprit de discipliner ces enfants indiens dans les pensionnats. Ils étaient libres comme des veaux dans le champ au printemps, depuis mille ans, et les voilà d'un coup enfermés dans une prison où on comptait les redresser, une vraie école de réforme. L'enfant indien, c'était presque l'enfant de Jean-Jacques Rousseau, l'enfant qui apprend dans la nature, l'enfant dont la société respecte la nature. Ils apprenaient en jouant avec les autres enfants, en observant les animaux, en expérimentant des courses et des gestes, en imaginant des chasses et des chasses, des pêches et des histoires de poissons et de festins. Cette tragédie des pensionnats est d'autant plus cruelle quand on y pense pour de vrai, quand on considère à quel point ces enfants du territoire étaient libres et enjoués, quand on pense à leurs rêves, à leurs idées, à tout ce monde qu'ils reproduisaient dans leurs jeux.

Aux yeux de Marie de l'Incarnation, *sauvage* équivalait à *saleté*. Pour faire des petits Indiens de bons Français, il fallait les dépouiller, les laver, les habiller et leur montrer à quel point leurs parents étaient pouilleux et laids. À la fin, Marie de l'Incarnation dut reconnaître que les enfants ne voulaient pas devenir des petits Français obéissants, propres. Ils n'appréciaient pas qu'on les dépouille. Dès qu'une porte s'ouvrait, ou même une fenêtre, ils s'enfuyaient, comme des faons, préférant leur liberté à toute la civilisation française.

Le gouverneur bat des records

Monsieur le gouverneur Simpson était le grand patron de la Compagnie de la Baie d'Hudson dans les années 1840, à l'époque glorieuse de la traite des fourrures en Amérique du Nord. Le territoire était immense, il fallait bien le parcourir pour voir aux bonnes affaires dans les postes de traite. C'était au temps des canots et des chevaux, avant le chemin de fer. Monsieur Simpson devait voyager en suivant les rivières, les lacs et les fleuves, les vallées, c'est-à-dire les routes naturelles du continent. L'homme était plutôt petit, gras. Bien sûr, dans le grand canot, il ne touchait pas à l'aviron. Il était l'empereur, le grand patron, il ne faisait que donner des ordres à ses porteurs et ses rameurs. Or le gouverneur avait une passion maladive : la vitesse et les records de vitesse. Notant dans son petit carnet les heures et les distances nécessaires pour franchir chacune des étapes, il avait tendance à crever ses hommes comme on crève des chevaux. Alors que l'empereur se donnait le plaisir de fracasser des records en obligeant ses employés à payer le prix de ses fantasmes, les vrais voyageurs et chargés de brigades, eux, menaient leurs canots à travers l'Amérique en respectant la règle de l'art : chaque portage en son temps. Inutile de suer et de se ruer quand on a six mille kilomètres à parcourir à la seule force de ses bras et de ses jambes.

J'ai appris des Innus la lenteur. Les nomades savent

depuis toujours que la vitesse ne sert à rien. Elle excite, elle brûle, elle hâte notre fin. Oui, après des années passées auprès des Innus, j'ai été marqué à jamais par leur vieille sagesse. Lorsque tu entreprends un long voyage, il ne faut surtout pas penser à l'arrivée. Il vaut mieux plutôt se recueillir sur chaque instant, je dirais sur chaque pas de l'infini périple. Le dernier pas arrivera bien un jour, mais dans l'intervalle, ne le forçons surtout pas ! La marche demande un rythme, les marcheurs le savent bien, eux qui jouent des pieds comme on joue d'un tambour, ce fameux tambour du cœur qui résonne parce qu'il respire. Le bon rythme a un son, un bruit, une sorte de battement régulier. Ce sera le chant du raquetteur, la chanson du rameur, le bruit d'un moteur, le claquement du diesel. On m'a souvent demandé pourquoi j'avais quitté le monde algonquien qui avait été au centre de mes recherches de maîtrise pour plonger dans le monde des routiers au long cours lors de mes recherches doctorales en anthropologie. La réponse est simple : le nomadisme, l'esprit nomade. Ce qui unit l'Indien chasseur au routier classique, c'est ce regard sur l'intervalle, cette attitude en face des distances, ce face-à-face avec le temps.

La grande rupture entre le monde humain traditionnel et la société de la performance se situe précisément là : la cadence. On a noté dès les premières rencontres avec les Amérindiens que les chasseurs et leurs familles voyageaient sur de grandes distances sans jamais se presser. Ce trait a traversé les époques, bien sûr, tant et aussi longtemps que l'esprit nomade a prévalu. On appelle cela, avec un peu de mépris, l'*Indian time.*

Même chose chez les camionneurs indépendants qui roulaient à l'époque précédant le *just in time.* Les routiers jugeaient eux-mêmes, selon les saisons, les conditions et les cargaisons, de leur vitesse de croisière. D'une manière ou d'une autre, peu importait le chrono, ils s'arrangeaient d'abord pour mener le voyage à bon port. Cela s'appelle « livrer la marchandise ».

Mais justement, monsieur Simpson ne livrait pas de marchandises. Il insultait le monde même qui avait bâti son empire à force de lenteur. Lui, il voyageait allège, dans un grand canot sans ballots. Le lourdaud bourgeois était le seul à être obsédé par la vitesse. C'était le parfait Anglais victorien : le tour du monde en quatre-vingts jours de Jules Verne annonçait le *just in time* de notre époque. Les routiers d'aujourd'hui ont rejoint les rameurs du gouverneur : ils se crèvent et s'épuisent au nom d'une logique de la vitesse qui est la négation même de leur métier.

Une peau volante pour toute porte

Lorsque les jésuites arrivèrent dans la vallée du Saint-Laurent dans les années 1630 et qu'ils virent pour la première fois des Innus, des Algonquins et combien d'autres nations amérindiennes, ils durent s'adapter à bien des « étrangetés », de leur point de vue, dans un contexte de haute diversité culturelle. Les manies et les manières, les rites et les façons de faire, les signes et les atours, les scarifications, les peintures faciales, il y avait amplement de quoi surprendre, désorienter, choquer des missionnaires venus de si loin. Il y avait aussi la façon de manger, la façon de s'habiller ou… de ne pas s'habiller. Durant l'été, les femmes amérindiennes allaient seins nus, ce qui devait troubler l'Européen de cette époque, le prêtre encore plus. Toutefois, elles portaient un pagne dérobant au regard tout le bas du corps. La nudité n'était jamais complète, semble-t-il. Quant aux hommes, de petites peaux, comme dit Champlain, cachaient leur nature. Les jésuites en conclurent que les Amérindiens avaient un certain sens de la pudeur, voyant comme une grande victoire de Dieu le fait que les Sauvages n'allaient pas franchement nus dans la nature. Cette petite cache pour dissimuler les parties intimes, signe évident de la retenue universelle, révélait un semblant de culture, un mince vernis, faible voile mais signe tout de même de leur humanité.

Un jour de 1734, Tomochichi, un vieux chef de la nation creek, en Géorgie, habitant de la région de Savannah, fit le voyage en Angleterre pour rencontrer le roi George II. Les deux hommes devaient discuter du partage des terres entre colons et Creeks dans ce qui allait devenir un jour l'État de Géorgie. La rencontre, hautement protocolaire, eut lieu au palais de Kensington et la cour n'y alla pas de main morte pour impressionner le vieil Indien. Répondant à cette grande pompe, Tomochichi revêtit ses plus beaux costumes, sa coiffe de chef, sa chemise colorée, sa veste en daim avec perles et motifs. Le problème, c'est que, en dépit de ses belles parures et conformément à la coutume creek, le chef avait les fesses à l'air. C'est ce qu'on appelle un incident diplomatique. On finit par le convaincre de ne pas se présenter devant le roi ainsi vêtu, sans pantalon. Il accepta de mauvais gré, disant cependant à qui voulait l'entendre qu'en revanche, le jour où George II viendrait à Savannah, il allait devoir enlever son pantalon et se montrer les fesses pour rencontrer dans le respect les chefs des Creeks.

Jeu des cultures, quand tu nous tiens. Durant l'hiver 1632, le père Le Jeune essaya de vivre à l'indienne : il accompagna les Innus en leur pays, dormant sous leurs tentes d'écorce, comme on dort chez l'habitant. Ce qui dérouta le plus le jésuite, au point de le rendre quasiment fou, ce fut de constater que ces tentes n'avaient pas de portes, qui plus est, pas de portes que l'on pouvait verrouiller. Pour reprendre l'expression du missionnaire Vimont qui l'écrira dix ans plus tard : « Ces habitations n'avaient qu'une peau volante pour toute porte. » Selon lui, cela laissait l'être sans protection. Ce qui nous mène aux lois de l'intimité. Le père Le Jeune avait raison à propos de la pudeur judéo-chrétienne : nous sommes issus de la civilisation des portes, des murs et des barrières. Sans portes closes, l'âme est sans abri, elle risque de s'envoler. Sans portes closes, nous laissons libre passage à la fluidité du démon. Le diable passe en courant d'air, s'il n'y a pas d'obstacle pour faire barrière au Malin. Comme on dit, vous allez attraper du mal.

Le bien, le mal ; la porte ouverte, la porte fermée. On voit que la pudeur est rituelle, morale et protectrice. Immensément et profondément humaine. Mais les règles varient à l'infini, les limites se déplacent, tandis que le principe, lui, est toujours le même : il y a le grand livre de ce que l'on montre, et celui de ce que l'on cache. Les fesses à l'air de Tomochichi, finalement, en cachaient plus qu'elles n'en montraient.

Le protocole des Taïnos

On est toujours l'extraterrestre de quelqu'un. À preuve, cette petite phrase aussi anodine qu'assassine qui revient si souvent dans nos conversations : « Coudon, vis-tu sur une autre planète ? » Énoncé ambigu qui ne présage rien de bon. Ne pas vivre sur la même planète, c'est la définition même de l'extraterrestre, le pas pareil, l'autre, l'étranger…

En Amérique, les Indiens n'ont-ils pas été les extraterrestres des Européens ? Et à l'inverse, les explorateurs, surtout les plus mythomanes, n'ont-ils pas été les extraterrestres des Indiens ? Lorsque la bande à Christophe Colomb débarqua sur l'île Guanahani, le 12 octobre 1492, il y avait sur la plage de nombreux Taïnos d'affiliation linguistique arawak. Imaginez les conversations, les hésitations, les approximations, imaginez le malentendu. D'un côté, Colomb avec sa grande cape de velours, son chapeau d'amiral, ses souliers de métal, son épée de cérémonie, flanqué de son notaire, son scribe, ses matelots, ses armoiries, ses oripeaux, et, de l'autre côté, en face de lui, un chef indien tout nu.

Une question hautement prioritaire fut immédiatement posée par les deux protagonistes. Colomb se demanda si ces gens qui se trouvaient devant lui étaient humains, s'ils avaient une âme, et si Dieu les reconnaissait parmi ses enfants. Les Taïnos s'interrogèrent sur l'humanité de ces Espagnols aussi ostentatoires que flamboyants. N'étaient-ils pas plutôt des dieux venus sur terre à bord de leurs grands vaisseaux blancs, des dieux poilus et fatigués, un peu fripés par le voyage, mais des dieux tout de même ? Pour résoudre ces questions, il eût fallu comprendre la langue de l'autre. Mais ce fut loin d'être le cas. Les gens de Colomb n'eurent pas le temps d'apprendre la langue des Taïnos. Ils les exterminèrent si vite qu'ils ne surent jamais qui étaient ces gens.

Surprise de sa propre violence, l'Espagne se lança dans une grande enquête. Les savants les plus sérieux de l'époque furent sollicités, les plus grands théologiens se mirent en frais de débattre et d'argumenter. Avons-nous affaire à des humains ou à des animaux ? L'affaire remonta jusqu'au pape, qui, lui, étant infaillible, finit par conclure en l'humanité des Indiens d'Amérique. Puisque c'étaient des enfants de Dieu, il fallait les en aviser.

L'approche des Taïnos pour déterminer le caractère, ou divin ou humain, des Espagnols fut empirique, simple, concrète. Ils finirent par s'emparer d'un Espagnol dans l'intention de le noyer avant de coucher son corps sur la plage, en plein soleil. Si c'était un dieu, il allait se relever et revivre, si c'était un homme, il allait se décomposer et pourrir. Ainsi, les Taïnos résolurent très rapidement ce premier problème à propos des présumés pouvoirs divins des Espagnols.

Avec les extraterrestres, c'est toujours la même histoire. Il faut apprendre leur langue, décoder leurs communications, leurs technologies, s'assurer de leurs bonnes intentions, évaluer leurs armes, leurs croyances et, le cas échéant, admirer leur vaisseau. Lorsqu'on envisage l'histoire de l'humanité, on s'aperçoit que l'extraterrestre a toujours été là comme un miroir qui nous renvoie l'image de l'autre. C'est le Germain des Romains, le Sauvage des jésuites, le barbare des Grecs, le Berbère de l'Arabe, le Mongol du Chinois, l'Iroquois de quelqu'un.

* * *

À propos des Taïnos, j'ai fait l'autre nuit un rêve sur l'origine du monde, un rêve dans lequel j'ai vu le paradis terrestre. C'était en Amérique, au mois de septembre de l'an 1492, quelques semaines avant que les Espagnols ne débarquent sur l'île Guanahani. Dans ce paradis, les gens vivaient heureux, à moitié nus sur la plage, sous le soleil des tropiques, se nourrissant de fruits et de petits cochons attrapés dans des filets. Ils vivaient sans armes, sans mauvaises idées ni mauvaise humeur. Dans mon rêve, ce n'est pas le sexe qui perdit cette belle humanité. Il n'y eut ni faute, ni chute, ni pomme, ni tentation. Le diable apparut plutôt un matin sur la plage, il avait une tenue d'empereur, une épée d'amiral, c'était un mythomane doublé d'un psychopathe, il s'appelait Colombo. L'amiral était fou de l'or et de Dieu, il découvrit des mines d'argent, si bien qu'il se mit à tuer à tout vent pour satisfaire ses fantasmes. Ce vendredi d'octobre fut le jour premier de la quête tragique des mines aux trésors. Une humanité sans malice faisait la douloureuse connaissance d'une bande de tueurs sans principes ni remords, prêts à empaler tout le monde du moment qu'il y avait de l'or à voler. Non, la fin du paradis ne fut pas causée par le sexe, elle fut causée par la cupidité, la rapacité des « fous de l'or », par la violence de leurs pulsions toutes chrétiennes pour le métal éblouissant avec lequel ils feraient leur fortune et couleraient leurs ostensoirs.

Les peuples indigènes de l'Amazone et de l'Orénoque se défendirent comme ils le purent. Ils étourdissaient les Espagnols qui s'enfonçaient dans les jungles et les savanes à la recherche de l'ultime ruisseau d'or. Épuisés, fous de frustration, perdus en leur âme comme en leur corps, les Espagnols devenaient des proies faciles pour les chasseurs amazoniens. Alors, ils étaient capturés et, dans un cérémonial improvisé, les Indiens faisaient couler de l'or liquide dans leurs bouches de chrétiens assoiffés. Ils avaient compris que les Espagnols avaient une pierre à la place du cœur, une pierre aussi froide que l'argent.

L'argent fut d'abord métallique. Comme le tranchant d'une épée, comme l'armure, la dague et le poignard espagnols. Toute l'histoire de notre monde tient à ces métaux lourds, à ces transports intercontinentaux du métal lui-même, des écus et des écus, le pesant de l'or. Guerres de trône, banques juives et hollandaises, l'argent devint volatil, léger comme les traites en papier, les billets de banque aussi précieux que des espèces, méchant comme la créance, brutal comme le prêt. Liasse, bas de laine, portefeuille, le petit ruisseau d'argent fit son chemin. Avec l'argent, on inventa le pauvre et la dette. On inventa le voleur, le bandit, l'escroc, le riche, le radin, le sans-cœur. La bourse ou la vie. L'argent s'est substitué à toutes les valeurs, et le monde entier est aujourd'hui financé. L'intérêt court. Vous voyez cette forêt boréale, dites-moi combien elle vaut. Comptez les arbres, 1,35 dollar chacun, allez, mesurez le butin, nous allons récolter en temps et lieu. Vous voyez ces lacs et ces rivières, dites-moi à combien le litre vous accepteriez de vendre toute cette eau.

Dans mon rêve, il y avait de l'eau fraîche qui dévalait les pentes douces des collines recouvertes de forêts magnifiques où poussaient des arbres centenaires. Les gens sur la plage allaient sans le sou, ils donnaient et recevaient sans cesse, des outils, des viandes et des fruits, des perles décoratives, un hamac, du fil, des cordes. Ils allaient sans roi, sans trésor, sans tiare papale et sans conseiller financier. Ils vivaient sans le savoir dans ce qui est maintenant reconnu comme le paradis des abris fiscaux.

Le général Amherst était un radical

En 1763, le général Amherst, douillettement installé dans son bureau de grand général des armées britanniques en Amérique, bureau situé à New York, où il ne risquait pas de se faire mal ou de se blesser, écrivait une lettre au colonel Bouquet, qui, lui, se trouvait sur le front des vraies hostilités dans les forêts du grand Ohio. Quand on lit cette missive, on reste interdit : « Ne serait-il pas impératif de répandre la petite vérole parmi ces tribus indiennes dégénérées [*disaffected*] ? » La même année, notre beau général écrivait une seconde lettre au colonel Bouquet, comme si la première n'était pas assez claire : « Vous feriez bien d'essayer d'inoculer [la petite vérole parmi] les Indiens par le moyen de dons de couvertures, ou par toute autre méthode visant l'extermination de cette race méprisable. » Convenons que ces écrits sont des pièces incriminantes, des preuves comme les historiens les aiment. L'idée d'exterminer l'ennemi en ayant recours aux armes biologiques était une idée nouvelle dans l'art de la guerre en 1763, et dans la communauté des psychopathes Jeffery Amherst était un véritable visionnaire. Il ne doutait pas de son fait, nageant dans la certitude caricaturale de sa supériorité britannique. Proposer de se servir de la guerre pour exterminer des peuples, cela était une vieille tactique. Mais proposer en sus de les empoisonner en cachette, cela s'appelle une pensée radicale traversée des pires méchancetés... Je ne suis pas certain qu'une conversation à propos des Indiens d'Amérique eût été agréable avec le général anglais. Il avait à ce sujet le cerveau enrayé et le cœur sec. On dit des psychopathes qu'ils sont incapables de ressentir les souffrances qu'ils infligent.

La « race méprisable » dont Amherst souhaitait l'extermination, c'étaient toutes les nations réunies par Pontiac à l'ouest des Appalaches pour continuer la lutte contre les Britanniques après la capitulation de Montréal, au nom des Premières Nations et au nom de la France. Pontiac était un Odawa. Il était le cauchemar d'Amherst. Huit ans plus tôt, en 1755, il avait infligé une des pires défaites à l'armée britannique en Amérique, humiliant la troupe du général Braddock le long de la rivière Monongahela, près de Pittsburgh. En compagnie de Langlade, un Métis célèbre, mi-Canadien, mi-Odawa, il avait dirigé avec succès une attaque de Canadiens et d'Autochtones contre l'armée envoyée par Amherst pour s'emparer des forts français de l'Ohio.

La certitude est une maladie mentale, dit Boris Cyrulnik. Ce jugement peut sembler sévère, mais il a l'avantage d'être clair. On peut se demander ce qui a poussé Amherst à tant de violence et de méchanceté, en Acadie ou en Pennsylvanie. La guerre, pas plus que l'époque, n'explique rien, il est faux d'invoquer les mœurs d'un temps révolu. Il y avait des humanistes en Angleterre en 1760. On peut être un militaire compatissant ; cela a toujours existé, des généraux magnanimes. Mais pour tuer des femmes et des enfants, des vieillards innocents, pour chercher à exterminer des sociétés entières, il faut une certitude en plus, il faut être un radical. La pensée radicale, qui sait être créative et révolutionnaire, peut prêter flanc à de nombreuses dérives et devenir terriblement destructrice. Le fanatisme n'est pas la moindre de ses conséquences. Celui ou celle qui est certain de son fait ne doute de rien.

Dans le cas qui nous occupe, il y a de la vengeance, la vengeance d'un général anglais qui veut régler ses comptes avec ces Sauvages qui l'ont humilié à la Monongahela. Alors, trêve de réflexion, trêve de compassion. Tuons tout le monde, tuons la race méprisable. Ne pas douter, refuser de nuancer, cela repose l'esprit, cela met le cœur en vacances, et cela conduit aux pires tragédies. Car, à défaut de nuance, le radical n'épargne rien ni personne quand il s'agit de passer de la parole aux actes.

Le doute et le rire sont le propre de l'humain. Je doute qu'Amherst ait jamais douté une seconde de sa certitude, je crois aussi qu'il n'entendait pas à rire.

Nos plus brillants exploits

En 2015, le premier ministre canadien Stephen Harper, dans une de ses tentatives pathétiques pour inventer la fausse histoire d'un pays en mal de gloire, tenait à nous faire célébrer le deux centième anniversaire de la naissance de John A. Macdonald. Voilà un geste malheureux, une insulte à l'intelligence, je dirais même un faux pas. S'il existe un personnage indigne dans l'histoire du Canada, c'est bien cet avocat corrompu, ce politicien raciste qui fut la honte de ses contemporains, un homme sans compassion et sans principes, un voyou en cravate qui eût été sanctionné en des temps moins laxistes. Nous sommes loin des Abraham Lincoln de ce monde, loin des vues politiques élevées et des idées éclairées. La Confédération canadienne de 1867 fut au contraire le fait d'une assemblée de développeurs véreux qui cherchaient fortune dans des échafaudages de complots immobiliers et de fraudes économiques réalisés à une échelle qui dépasse l'imagination.

Mais le pire des héritages de John A. Macdonald, c'est le racisme : la répression des Métis, des Cris, des Saulteux-Ojibwés et des Assiniboines dans le Nord-Ouest en 1885, la pendaison de Louis Riel et des rebelles cris, la Loi sur les Indiens, les traités frauduleux et non respectés, les réserves indiennes, les politiques pour éradiquer l'indianité – faire mourir les langues et les nations, les mémoires et les cultures amérindiennes –, la loi pour empêcher les Chinois et les Noirs de voter aux élections, l'affirmation explicite de la supériorité de la race aryenne au Canada, le sentiment anti-francophone, la promotion des idéologies radicales des orangistes… Dit autrement, l'étroitesse, la petitesse et la mesquinerie d'un homme de fort mauvais esprit.

Les biographes font dans l'hagiographie quand il s'agit de sauver la face de ce personnage odieux ; on l'excuse en disant qu'il épousait les idées de son époque. Mais cela ne tient pas la route : au temps de John A. Macdonald, il y avait des gens honnêtes, de grands humanistes, des Noirs qui luttaient pour la liberté et l'égalité, des Amérindiens qui dénonçaient l'injustice des traités, des femmes qui militaient pour les droits des femmes, des libres penseurs qui s'insurgeaient contre les abus de pouvoir, des visionnaires qui voyaient dans le métissage biologique et culturel l'avenir de l'humanité. Il y avait même des alcooliques sympathiques. Ce que n'était pas sir John. Difficile en effet de glorifier un malotru qui vociférait sa haine raciale en public lorsqu'il avait trop bu, ce qui arrivait souvent. D'ailleurs, avait-il toute sa tête, notre éminent premier ministre, lorsqu'il déclara en pleine Chambre des communes qu'il n'était pas sain que les races aryennes se fusionnent aux autres, tout comme « le croisement d'un chien et d'un renard n'était pas réalisable » ? C'est à ce raciste méprisable qu'on veut donner le titre de père du Canada moderne.

John A. Macdonald détestait tous les Métis de ce monde. Il souhaitait les voir disparaître de la surface de la terre au profit de bons colons blancs, protestants et anglophones. Contre le rêve aryen de ce triste sire se dressaient les histoires de tous ces Métis précurseurs de l'Ouest, du Minnesota à la Saskatchewan, en passant par le Dakota, et de

Saint-Boniface à Edmonton, et de la Colombie-Britannique jusqu'au grand Oregon, l'écho de leurs chants résonnant le long du beau fleuve Columbia.

Pour fêter les cent cinquante ans de la Confédération, allons-nous célébrer des personnages comme Piapot, Gros-Ours, Esprit Errant et Poundmaker ? Allons-nous faire honneur à Gabriel Dumont, Marie-Anne Gaboury, Thanadelthur, François Beaulieu, James Douglas, Pierre Bonga et Davis Thompson ? Et quelle place allons-nous faire aux Siksikwas, aux Assiniboines, aux Cris, aux Koutenays, aux Dénés du Nord ? Aux Chinois, aux Algonquins, qui ne furent pas invités aux cérémonies du Canadien Pacifique lors de l'ouverture de la voie ferrée transcanadienne, alors même qu'ils avaient tant contribué à la construire ?

Jamais nous ne nous débarrasserons de ces démons si, plutôt que de leur faire face, nous persistons à nous mentir à propos de l'épopée de nos plus grands exploits. Jamais nous ne nous débarrasserons de nos démons si, au lieu d'enseigner à nos enfants les tragédies causées par le racisme, nous persistons à célébrer la mémoire de ceux qui l'ont ouvertement prôné et pratiqué.

Qui a tué Gros-Ours ?

Je dois vous parler de Gros-Ours, un personnage important de notre histoire, un homme dont la vie ne cesse de m'émouvoir, mais dont la mémoire est tristement enfouie sous une épaisse chape de silence. Gros-Ours-Mistamaskwa fut emprisonné en 1885 par le gouvernement fédéral pour avoir refusé de jouer le jeu de ce même gouvernement qui travaillait dans l'ombre à la mort de son peuple, les Cris du nord du Manitoba. C'était l'époque des traités, de la création des réserves indiennes dans l'Ouest canadien, de la révolte des Cris, des Métis, de Louis Riel.

Lorsque les fonctionnaires fédéraux proposèrent à Gros-Ours de signer le traité numéro 6, ce dernier refusa de mettre son X au bas de la page. Il dit : « Ce traité est notre arrêt de mort. Vous nous tendez la corde avec laquelle vous avez l'intention de nous étouffer. Une réserve indienne est un endroit planifié pour faire mourir les Indiens. Je n'accepterai jamais de collaborer à votre plan. » Gros-Ours avait bien raison, il avait l'instinct de survie, peut-être, mais il savait surtout reconnaître la violence et la méchanceté du gouvernement canadien. Vieil homme, il avait tout vu du rouleau compresseur colonial qui démolissait ses gens. Gros-Ours dit cette phrase remarquable : « Quand vous, les Blancs, êtes arrivés en nos terres, nous, les Indiens, étions beaux et heureux, forts et en santé, libres. Et vous, vous étiez laids et grelottants, souffreteux et malades, de sales barbus. Nous vous avons aidés, nous vous avons sauvés. À présent, maintenant que vous avez envahi nos terres, c'est nous qui sommes devenus laids et souffreteux, maigres et malades, et vous êtes devenus gras sous vos beaux paletots, les moustaches bien taillées, et vous faites les beaux, heureux de nous avoir tout volé, indifférents à notre misère. »

Pour avoir fait obstruction aux intentions du gouvernement, six Cris et deux Assiniboines furent pendus à Winnipeg, dans la foulée de la pendaison de Louis Riel. Gros-Ours était trop vieux et trop malade pour que la justice canadienne s'acharne sur lui. On le photographia sur le pas de sa prison et on le libéra. Il mourut quelques jours plus tard, officiellement de tuberculose, officieusement de chagrin.

Une fois ces crimes commis, le gouvernement fédéral s'en retourna à ses affaires, espérant que nous n'en parlerions jamais plus. Il est vrai que les plus grands crimes se commettent dans le silence. Dans ce Canada si doux, si innocent, comment pourrions-nous démasquer la face cachée de l'épopée ? Dans les réserves, où les Indiens ne pouvaient plus chasser pour se nourrir, le gouvernement canadien s'était engagé à leur fournir de la viande et de la nourriture afin de compenser la perte de leur autonomie alimentaire ; il ne le fit pas, envoyant parfois de la viande avariée, parfois rien du tout, affamant des communautés entières pour mieux affirmer son pouvoir. Dans les réserves, où les Indiens tombaient facilement malades, le gouvernement s'était engagé à leur fournir soins et médicaments ; il ne le fit pas, dispensant des médicaments périmés et négligeant la qualité des soins. Le gouvernement fédéral s'attaqua à l'identité culturelle des enfants en les regroupant de force dans des pensionnats où on les faisait travailler, où on les nourrissait mal, où on les soignait mal, bref, où on les maltraitait dans l'intention expresse de les dérouter, les étourdir, leur faire oublier leur langue maternelle, leurs origines, afin de les faire se sentir honteux de leurs pères et de leurs mères.

Et tout cela se fit dans le silence, tandis que les Canadiens anglais adoraient leur reine et que les Canadiens français adoraient leur pape. Et je me demande aujourd'hui : qui a tué Gros-Ours ? Ils ont des noms, John A. Macdonald, Duncan Campbell Scott, et tous ceux qui, à l'époque, gardèrent le silence. Méfions-nous de ces beaux messieurs en chapeaux hauts de forme, cigare à la bouche, champagne à la main, qui se font photographier en leur qualité de fondateurs d'un pays. Ils sont beaux, disait Gros-Ours, mais sous cette mascarade se cache la terrible violence des fossoyeurs de mondes.

Dans la cache de l'ourse

Trois autres terres dans le lointain

Ce n'est pas l'espace qui manque. L'univers se mesure en années-lumière, et encore, il faut parler en milliards pour en prendre la mesure. À cette échelle, nous le savons, la terre est moins qu'un grain de sable fin. Vu de l'espace, ce petit grain de rien est d'une grande beauté, cette planète bleue se distinguant dans l'obscurité du vide. La terre est un corps céleste magnifique. Voilà notre territoire, notre milieu de vie. Il y a un bail maintenant que nous en avons fait le tour, il n'y a plus de nouveaux mondes à découvrir au-delà des montagnes, au-delà de la mer. Cependant, la terre est tout ce que nous avons. Or il paraît qu'elle est devenue insuffisante. Cette seule terre n'est pas assez pour nos besoins. Nous en avons pompé l'air, gâté l'eau, siphonné les richesses, nous l'avons tant et tant défigurée que sa diversité se ratatine et que sa grandeur s'estompe. Elle devient de moins en moins magique, de moins en moins profonde, de plus en plus superficielle.

Jeune, je suis tombé amoureux de la terre. Je souffrais de toutes ses blessures, de la négligence et de la désinvolture du monde moderne à l'égard de la nature. La première transaction sérieuse que nous avons faite, ma femme et moi, ça n'a pas été l'achat d'une maison, d'un bungalow ou d'un appartement, ça n'a pas été une voiture ou un portefeuille d'actions, ç'a été plutôt une terre de deux cent quarante arpents dans les Laurentides. Cela s'appelle acheter une forêt, un grand espace en bois debout, avec quelques beaux grands champs, des chemins pour aller partout, un ruisseau, une érablière, un petit territoire sauvage que nous espérions mettre à l'abri de la logique économique, un refuge, un lieu pour rêver et nous épuiser sainement.

Pendant des années et des années, j'ai eu l'impression de faire corps avec ce lieu, j'ai souvenir de m'être routinièrement émerveillé devant tant de beauté. Chaque arbre avait sa personnalité. Chaque bloc erratique avait mon attention. Je savais tout de tous les brins de foin, j'observais la fougère comme je jetais un œil aux pins. J'ai pensé ce domaine forestier comme on arpente un territoire au pays des chasseurs nomades du Nord : une terre sacrée qui nous protège et nous réconforte, une terre magique qui nous communique son énergie, des épinettes qui nous parlent, une mère sauvage en somme.

Mais notre mère est fatiguée. Elle en a plein les bras, jamais elle n'aurait pensé avoir des petits aussi nombreux, aussi tapageurs et ingrats. L'humanité adolescente se détache du bercail, elle rompt ses liens avec la maison maternelle ; l'humanité adolescente se densifie, s'urbanise, se cherche un appartement en ville. La planète n'est plus qu'un terrain de jeu extrême, un concept, des images, des clichés de paysages, un documentaire. Nous consommons jusqu'à l'idée de territoire et, à défaut d'y vivre ou de l'occuper, nous l'évoquons sans trop de conviction, comme cette vieille mère à qui nous nous promettons de rendre visite, remettant toujours à plus tard notre venue, sous prétexte que nous n'en avons plus le temps ou qu'elle demeure trop loin.

On découvre de plus en plus de planètes hors du système solaire. On vient d'en trouver trois qui sont résolument semblables à notre propre Terre. Trois autres

Terre dans le lointain. Juste les imaginer me calme : il y a de la beauté en réserve, il y a des territoires encore, qui sait, des plages et des forêts, de l'eau, des rivières, des lacs, des prairies, des fleurs, des fruits. S'il nous fallait recommencer à zéro, referions-nous les mêmes erreurs ? Serions-nous partants pour détruire la beauté d'un autre monde, une autre fois ?

Jadis, dans la cache de l'ourse

Autrefois, il y a très longtemps, les animaux parlaient le langage des humains. Ou peut-être que les humains parlaient le langage des animaux, je ne sais trop. En ces temps anciens, l'humain était un ours comme un autre, un orignal parmi les orignaux, un oiseau entre les oiseaux, un poisson. Cette bonne entente venait de l'esprit de la chose, j'oserais dire de notre « communion d'esprit ». Il était entendu parmi l'assemblée des êtres vivants que nous étions tous réunis autour d'un seul foyer. Cette solidarité des êtres alla si loin qu'elle déborda dans le champ de la matière, des plantes, de l'eau et des astres. Tout avait un cœur. Il y avait dans l'air une énergie spirituelle commune, un élan de vie, une sensibilité profonde, un relent d'âme, des vieilles âmes, des mémoires. Le rocher était sacré, les arbres aussi, imaginez la tortue. Les modernes ont appelé cela la pensée primitive.

Selon cette pensée et dans ces temps anciens, les animaux savaient que le dernier-né dans la chaîne du vivant était cette curieuse créature, l'être humain. Vulnérable, ignorant, incapable. Il fallait le protéger, ce petit être nu, il fallait le protéger contre lui-même, contre la nature, il fallait tout lui montrer, l'éduquer, lui apprendre la différence entre le bien et le mal, le nourrir, le vêtir, le garder au chaud. Dans toutes les anciennes histoires algonquiennes, on raconte que c'est l'ourse qui fut responsable de la protection de l'homme, c'est l'ourse qui se chargea de son éducation, de sa sécurité et de sa survie. Cependant, cet humain, qui faisait la fierté des animaux, en vint à les décevoir, à les trahir, à leur désobéir. La mère ourse s'est choquée noir, elle a chassé les humains hors de sa vue, elle s'est désintéressée d'eux, les laissant à leurs prétentions. Depuis, on ne parle plus le même langage, les animaux et nous.

La rupture s'est produite ainsi : l'humain a brisé l'unité du monde en même temps que sa poésie le jour où il a tracé une ligne entre la nature et la culture en s'inventant des dieux et en prétendant dominer l'univers. Allez, multipliez-vous, abattez ces forêts, mettez la nature à votre botte, c'est-à-dire en valeur, créez de la richesse en désacralisant tout ce qui existe au profit de la raison, du nombre, de la croissance, de l'économie. En s'inventant un dieu unique, l'humain a renié sa propre nature.

Les grandes religions monothéistes ont bien fait leur travail : pour ces prêtres et ces prêches, pour ces religieux prosélytiques, la nature est sauvage et inhumaine, la forêt est diabolique et immorale. Saignons l'agneau, tuons le mouton, crevons nos chevaux et nos ânes, tout ici-bas n'est que douleur et sacrifice, et faire souffrir les animaux ne sera pas un péché mortel. Ce ne sera pas long qu'on condamnera les rites païens, qu'on démonisera le loup pour mieux l'exterminer et se conter des peurs. Le loup est devenu un loup-garou. Reste à domestiquer tout ce qui est, car l'humain est le maître du monde et dans sa prise de possession de la nature il ne saurait se soucier de la parole des animaux. Le grand respect d'autrefois fut remplacé par la déforestation, la destruction des habitats, la disparition des espèces.

En quelques lignes d'un beau poème, mon amie Joséphine Bacon trace les contours de tout ce que nous avons perdu. Les anciens Innus croyaient qu'il y avait dans le ciel une femme, peut-être une femme caribou, peut-être une femme orignale, selon les forêts dans lesquelles ils chassaient. Pour que l'esprit du caribou soit généreux envers le chasseur, pour que le caribou se donne et s'offre à sa famille, il fallait que le chasseur soit beau afin de séduire cette femme dans le ciel. L'épouse du chasseur lui cousait les plus belles vestes, lui confectionnait le plus beau chapeau, et c'est avec des atours convenables que le chasseur partait à la rencontre de la bête promise qu'il devait tuer. Alors, la famille pouvait manger de la viande du courage, de la force animale, renforçant ainsi l'union spirituelle entre la société des humains et la société des animaux. Le corbeau représente la sagesse et la longévité, le mésangeai représente la générosité, le castor représente les vallées, les rivières, les chemins, le caribou donne de la force, l'ours est un grand-père et une grand-mère, le loup est une famille, le roitelet représente l'été, la corneille l'hiver, l'outarde l'automne, les canards le printemps.

Nous avons été élevés dans la cache de l'ourse. Aujourd'hui, l'ourse n'a plus un seul endroit où se cacher.

Le mal du pays

Ils pénétrèrent dans une vallée inconnue où, à partir du pont de leurs bateaux, ils purent contempler l'immensité des forêts qui recouvraient les deux rives du grand fleuve. Cette futaie riche et profonde commençait à la grève et semblait se prolonger jusqu'aux confins de l'horizon, des arbres matures, des jardins vierges où chaque espèce donnait le meilleur d'elle-même, mille espèces souveraines qui occupaient cette terre sans partage. Il y avait là, debout, toutes les colonnes de l'Antiquité. De quoi prendre des notes à propos des hêtres colossaux aux écorces si lisses, des chênes plusieurs fois centenaires aux cimes impériales, des pins rouges et des pins gris et des pins blancs vieux comme le monde, des érables multicolores, des frênes, des ormes et des noyers, des saules noirs et des thuyas sans âge, des gros bouleaux blancs, des mélèzes aux longs doigts, des pruches précieuses, des tilleuls américains, des merisiers aux éternelles boutures, sans parler des cerisiers d'automne, des trembles et des faux-trembles, et, dispersés dans ces océans de feuillus, des épinettes grasses, des sapins baumiers, des ifs, comme autant de points sombres sur une toile aux cent nuances de vert. Il n'y avait à la vue de ces navigateurs ni ferme ni château, ni route ni champs de blé, seulement la majesté d'une forêt millénaire, la richesse de ses pousses et la profondeur de ses sous-bois. Tant de beaux arbres, des arbrisseaux, de l'aulne blanche, de la fougère et de la mousse, le bruit de l'eau qui se faufile entre les roches arrondies dans le lit des ruisseaux, et la lumière qui traverse la tête des géants comme si elle passait à travers de somptueux vitraux, projetée par un éclairagiste sorcier dont la passion se résumerait à embellir la scène de toutes les vies.

En virent-ils toute la beauté, comprirent-ils combien cette forêt vierge était précieuse, vierge de tous les outrages, de toutes les profanations ? Hélas, ils avaient, nos navigateurs, le mal du pays, de leur pays. Leur œil était européen, leur regard chrétien, ils avaient appris à déflorer, à assujettir le paysage à leurs propres désirs : haies, bosquets, clôtures, murs, jardins, enclos, pacages. Mais ici, face à cette insupportable grandeur, face à la puissance de l'arbre, à la force de l'inutile, ils furent intimidés. Humiliés. Vivement ils souhaitèrent rabaisser ces futaies insolentes, faire plier cette forêt debout, afin de donner à l'Amérique un visage civilisé. La forêt fut pour eux un désert, un enfer, un lieu obscur où l'on se perd, corps et âme, le royaume des bêtes, le refuge des bandits, des démons, des petits diables et des monstres. Champlain exécrait la Boréalie, il levait le nez sur ces chicots. Plus au sud, en découvrant la forêt laurentienne, il ne se fit pas poète, il se fit gros entrepreneur. Dès 1618, dans une lettre à la chambre de commerce de Paris, il dressait un inventaire des profits envisageables si on coupait tout ce bois, si on donnait une valeur économique à ces arbres nobles qui jusque-là avaient poussé pour rien, en pure perte.

Ce fut Dieu contre la Nature. Dieu n'aime pas la forêt, il n'aime pas la tête des grands arbres qui cachent la vue du Ciel. Là où se construit une église, il y a toujours plein de souches autour. Champlain, dans les moments durs, ne prenait pas une marche dans le bois pour se ressourcer ; il allait se réfugier dans sa chapelle, il s'enfermait dans son Habitation, il songeait aux roses de son jardin. Il aurait eu trop peur, dans la forêt, d'égarer son âme, de s'écarter de la vue de Dieu. Le reste a suivi. Nous avons été des bûcherons catholiques, des colons catholiques, mais jamais nous n'avons eu de notre clergé la permission d'habiter nos forêts et de les trouver belles.

* * *

J'ai été partout, comme dans la chanson de Johnny Cash, *I've been everywhere, man, I've been everywhere...* Je récite mon pays, je dis la liste interminable de ses lieux – toutes ces villes et tous ces villages, ces lacs et ces rivières, ces campagnes, ces forêts, de Musquaro jusqu'à Duparquet, de Mégantic jusqu'à Chisasibi. Mais aussi de Miramichi à Whitehorse, de Kitimat à Attawapiskat, de Souris jusqu'à Tuktoyaktuk. Un champ d'avoine n'est pas un champ de bleuets et l'histoire d'une rivière n'est pas celle d'une autre.

Notre pays est-il laid, déprimé, déprimant ? Qu'en est-il de nos paysages sauvages ? Sont-ils assez appréciés, reconnus, protégés ? Quel est l'état des lieux, dans les champs et les forêts, sur le terrain, dans notre tête ? Jacques Cartier, autrefois, a lancé un mouvement malheureux : le mépris pour les paysages nordiques, la taïga en particulier. Il détestait ces épinettes noires rabougries, ces « bois avortés », comme il le disait dans son journal, cette froide monotonie, cette terre de roche que Dieu, écrivait-il, avait donnée à Caïn. Il ne parlera pas beaucoup, non plus, de la beauté des paysages laurentiens ni de la vallée du Saint-Laurent. Avait-il la tête ailleurs ? Certainement. Nos premiers missionnaires, quant à eux, aimeront les paysages de la région de Montréal, qui leur rappelleront l'Europe. Plus tard, l'élite bourgeoise, qui vivait en ville mais possédait des terres, ne laissera pas grand-chose en héritage, car elle écrivait peu sur le sujet. Les seigneurs aimaient-ils leurs seigneuries autrement que pour les richesses qu'elles représentaient ? Que pensaient Louis Jolliet de la Minganie, et Legardeur de Repentigny de Repentigny ? Plus tard, que penseront Louis-Joseph Papineau et, plus tard encore, Henri Bourassa de la Petite-Nation ? Au moins, nous savons que les coureurs des bois aimaient le bois. Nicolas Perrot et Radisson nous ont laissé de bons mots à propos de l'infinie beauté de la nature qu'ils exploraient. Ils étaient aux antipodes des prêtres catholiques pour qui la nature sauvage était un endroit de perdition. Le domaine du Diable. Il aurait fallu une chapelle au bord de chaque lac et des croix sur tous les chemins pour que le territoire trouve grâce aux yeux de l'ordre religieux.

L'humain est un aménagiste. Il tond, il coupe, déblaie, taille, corrige, défait, refait, invente des espaces. Il a ce pouvoir de création. Nous nous créons nous-mêmes comme nous créons l'espace qui nous entoure. D'ailleurs, l'un est le résultat de l'autre. Le paysage humain est bel et bien le reflet de ce que nous sommes. Par contre, qui a le talent de créer a aussi la capacité de détruire. Notre paysage humain est le résultat malheureux de l'impérialisme économique. Quand une région n'est qu'une ressource, quand tout y est dédié aux dieux de l'économie, le premier sacrifice sera celui de l'esthétique. Le beau n'a pas la cote. Pour du gravier, on grugera une montagne, même une belle Montérégienne. On rasera des forêts, on érigera n'importe quoi dans le décor humain, des murs de tôle, des cheminées rouillées, de la laideur. Le mal du pays vient de ce que nous n'y pensons pas assez. Et s'il est vrai que le territoire est le reflet de ce que nous sommes, alors nous sommes un peuple négligent.

Nous avons choisi le camp du bruit

Imaginez un monde où vous marcheriez seul, sans jamais rencontrer d'humains, une terre où vous seriez seul à entendre les bruits de la nature – la pluie qui tombe, les feuilles du tremble qui frissonnent au moindre courant d'air, les oiseaux qui chantent leur couleur et leur territoire, se relançant l'un l'autre, la chouette qui hulule dans la nuit – mais où, à vous, rien ni personne ne répondrait jamais. Chaque espèce s'exprime à sa manière, le loup hurle sa plainte dans l'ordre solidaire de la meute. Il grogne aussi sa dominance comme il gémit sa soumission. Aucun de ces sons, aucune de ces postures ne s'adresse à vous. Unique exemplaire de votre espèce, vous habiteriez ces solitudes, sans oreille humaine pour entendre votre voix, sans âme qui vive pour seulement vous répondre. Afin de vous rassurer, vous parleriez très fort, juste pour entendre l'écho de votre propre voix, et ces paroles lancées dans le vide joueraient le rôle du son qui rassure, ce souffle habité qui donne du courage, comme une chanson de guerre que l'on chante à plusieurs.

Le soir auprès du feu, au moment de vous endormir, vous chanteriez doucement une berceuse, en essayant maladroitement de reproduire la douce voix de votre mère. Et vous sauriez alors que la voix des disparus est une voix qui ne se rattrape plus. Souvent, la nuit, je parle avec mon père, mort depuis des lunes. Je sais que sa voix était belle, mais je suis incapable de la reproduire dans mon souvenir. Car la voix humaine est efficace dans l'instant, elle appartient au moment où elle se fait entendre. Chaque parole est unique, et le comédien ne dit jamais deux fois la même chose. Le texte qu'il semble répéter est une version exclusive à chaque représentation. Il est nécessaire de capter l'absolu au vol, le moment magique, le passage sacré, et celui qui n'écoutait pas à l'instant même où une voix s'exprime aura perdu à jamais le contexte de la chose. La voix humaine peut être très belle, nous le savons. Elle est divine, grégorienne, juste, profonde, capable de rejoindre les derniers retranchements de l'âme.

Mais nous sommes des milliards et les moyens de faire entendre notre voix sont devenus si nombreux et sophistiqués. Nous avons développé le malheureux penchant de gaspiller nos voix, criards que nous sommes, papoteurs, singes hurleurs versés dans l'art d'interrompre, champions de la non-écoute ; le monde est devenu cacophonique. Et cet instrument précieux qu'est la voix ne sert plus qu'à vociférer une opinion, qu'à divertir, qu'à remplir du vide, qu'à combattre le silence. La voix n'a plus de valeur dans ce monde métallique qui reflète des opinions et qui se divertit de tout. Trop de voix numériques et transformées.

Or le silence est précieux pour la voix. Imaginez que vous êtes seul depuis des années et que, perdu dans la routine de votre solitude, vous entendez une voix humaine, disons une voix à la radio, une voix humaine qui vous dirait combien elle est seule, combien elle espère être entendue, combien elle voudrait être appréciée pour ce qu'elle est vraiment, un cri du cœur, une musique, un appel de conscience et une émission sensible, oui, une voix qui cherche des oreilles, une parole qui rejoint une autre parole. Du plus profond de l'un au plus profond de l'autre.

* * *

Je revois dans ma tête cette scène de film : un homme, en hiver, sur les rives d'un grand lac gelé, installé sous un arbre, est en train de manger des bines qu'il a réchauffées au-dessus d'un feu. Il boit aussi du thé. On devine qu'il s'agit d'un trappeur qui vient de passer l'hiver dans les grands bois du Nord, dans la neige, le vent et les épinettes. Il doit être en voyage et il s'est arrêté ici, à la décharge du grand lac. Il n'a pas vu âme qui vive depuis dix mois. Il entend le bruit de son feu, les cognements de sa cuillère contre le métal de sa gamelle, il entend le vent, deux branches gelées qui se frottent l'une contre l'autre, le cri du corbeau solitaire. Sur la surface du lac, au loin, il aperçoit une silhouette humaine qui semble se diriger vers lui. La distance est grande, notre homme ne s'excite pas, il continue à manger ses bines, à boire son thé. La distance est si grande qu'on dirait que la silhouette n'avance pas, comme si le marcheur faisait du surplace. Une heure passe, puis une autre. À la longue, la silhouette finit par se rapprocher, l'homme arrive et rejoint celui qui est près de son feu. Le nouveau venu s'assoit, essoufflé, enlève ses mitaines et se réchauffe les mains au-dessus des braises. Sans dire un mot, le trappeur lui prépare un plat de bines, une tasse de thé. Le visiteur mange volontiers, il boit sa tasse de thé. Pour dessert, il fume une bonne pipée. Après une demi-heure sans rien dire, n'échangeant que des regards avec son hôte, le visiteur se lève et repart. Après avoir fait dix pas, il s'arrête, se retourne et dit : « À l'année prochaine, mon ami ! » Et l'autre de répondre : « Si nous sommes encore en vie ! »

En vérité, ces grands silences avaient tout dit, ces deux hommes avaient fait le tour du sujet, ils avaient pensé ensemble, partagé des émotions et des états que les mots ne parviendront jamais à bien traduire. La vie, la mort, la distance, la solitude, le froid, le thé, les bines, autant de questions insolubles autour desquelles il est inutile de caqueter. Mais nous sommes aujourd'hui si nerveux que cette fable, si les gens l'entendaient, attirerait mille commentaires, mille opinions, autant de questions plates. Comment peut-on manger des bines ? Où sont passées leurs motoneiges ? Peut-on passer six mois sans prendre une douche ? N'aurait-il pas fallu que l'un demande à l'autre : « Es-tu pour ça, toi, le port du burkini dans les piscines publiques ? » et autres bruits obligatoires dans ce mauvais film qui ne souffre plus d'être muet.

Parler pour parler, parler pour remplir les vides, nous nous croyons sur le party et nous croyons qu'un party lève quand tout le monde danse, s'excite et crie. Et nous voyons le plaisir tel un feu d'artifice. Monte le son, mon ami, monte le son ! La réussite est une affaire de décibels, le bonheur se trouve dans les caisses de résonance d'un cinéma maison. Plus moyen de s'entendre, plus le temps d'écouter, cela jacasse et rit, cela s'esclaffe et s'étouffe, haro sur les temps morts ! Tout ce bruit pour rien, car nous savons tous que c'est le silence qui en dit le plus long.

Le discours efficace sera celui qui saura le mieux jouer de ses silences. Tout se résume à savoir rebondir sur le vide, car le silence est la reprise du souffle, le temps de l'intervalle, le vrai moment de suspension. Il faut avoir une bonne oreille pour entendre le silence. Cette oreille, le citadin l'a complètement perdue, lui qui n'entend de silence que le bruit sourd de la ville, la nuit. À l'inverse, l'oreille habituée au silence entend tout, elle capte le son dans sa pureté. Mais le silence est fragile, un rien le brise. Dans le silence le plus sauvage, il y a des bruits éternels : la vague qui frappe le rocher et celle qui crépite sur la plage en s'étalant et en se retirant, le bruit de l'eau qui dévale sur un lit pierreux, le grondement des chutes et des rapides, le sifflement du vent, le coup de tonnerre, le vrombissement des incendies de forêt, les craquements de l'arbre par très grand froid, l'arbre qui tombe, naturellement, malheureusement. Et je ne dis rien des chants d'amour des animaux et des oiseaux, des cris d'effroi, des cris de mort, du silement de la cigale et des grillons, de la goutte d'eau qui claque sur le sol, de la glace qui craquelle, du ruisseau qui dégèle.

Pour avoir associé le silence à l'ennui et à la mort, nous avons choisi le camp du bruit. Dans la chapelle sacrée des moines ou des carmélites, on se consacre au silence. Au Beach Club de Pointe-Calumet, on s'époumone, on crie sa joie, on joue de la musique, fort. Celui qui a peur du silence parle toujours très fort, il chante dans le noir, pour se rassurer. Se pourrait-il que l'humain moderne ait perdu un peu du courage de ses ancêtres ?

L'arbre tutélaire

Sur le petit chemin privé qui s'enfonce dans mes anciennes terres, à Huberdeau, il se trouve un arbre colossal que j'ai depuis longtemps qualifié de tutélaire. Ce n'est pas un chêne royal ni un pin majestueux. Ce n'est qu'une épinette, une simple épinette. Une vieille blanche, qui est là depuis moult saisons et qui était déjà géante quand je l'ai connue, il y a quarante ans. Sa tête dépasse celles de toutes les autres dans les alentours, elle est saine et fournie, se faisant voir de partout. Son tronc est une solide colonne recouverte d'une écorce mûre, striée de cicatrices anciennes. Malgré son grand âge, plus de cent ans, mon épinette tutélaire bourgeonne tous les printemps. Elle m'a toujours donné l'impression de « garder » la propriété, de garder la terre, de se tenir toute droite, attentive, comme un soldat à casque d'ours devant le palais de Buckingham. Elle est la générale des lieux, au garde-à-vous, à l'entrée de ce domaine que j'ai fini par léguer à mon fils. Ce qui est dans l'ordre des choses : l'arbre tutélaire a quelque chose à voir avec la famille, le tutorat et la lignée. Cette épinette veillera sur ma descendance.

L'arbre fut le premier palais de justice, tout comme il fut le premier temple, le premier parlement. Et ce sont justement ces arbres tutélaires qui ont fondé l'état civil. Tout cela a commencé sous un chêne tricentenaire ou sous un gigantesque baobab, sous un pin de la paix ou sous un cotonnier. Ces arbres sont les piliers de la sagesse, de la justice. S'il y avait, au ministère des Forêts, un service des arbres tutélaires, si on faisait des inventaires d'arbres sacrés, un catalogue des gardiens du territoire, alors le ministère, plutôt qu'une agence au service des capitalistes forestiers, serait une institution. Ces arbres recensés seraient les symboles du patrimoine forestier, nous prendrions un soin maniaque de la forêt, coupant à bon escient, protégeant à bon droit. Car ce trésor appartient à la famille, ces forêts témoignent de notre enracinement, elles témoignent du temps. L'arbre impose le respect, il commande le silence, il s'adresse à notre conscience. Il n'est pas d'humanité sans loi.

J'ai des arbres tutélaires tout au long des routes que j'emprunte, partout sur le territoire, depuis tant d'années. Ce sont des arbres phares, des hauts lieux, des marqueurs de nature humaine. À chacun de mes passages en voiture, je les remarque, je les salue. Ils donnent un sens au territoire et cette immense nature sauvage devient une nature profondément humaine. Ils instituent l'habité, l'habitable. L'institution est un pari sur la durée et sur la règle. L'institution est la fondation du monde, la racine, le solage, le rempart, c'est un lieu sacré, qui peut être l'école, la famille, la bonne vie, la bonne mort, le jugement, la culture en face de la nature. Elle se nourrit de codes qui vont de l'imaginaire au vestimentaire. Regardez le juge avec sa perruque, regardez l'avocate avec sa toge, l'institution de la justice se fait dans le plus noble de l'ostentatoire. Il faut à la justice une cour et au juge un banc. Car si l'assistance se lève quand le juge fait son entrée dans la cour, le magistrat, lui, s'assoit en toutes circonstances, surtout quand il prononce la sentence. Il est assis sur les piliers du droit. L'école n'est rien si elle ne reflète pas une valeur transcendantale, dans ses murs, dans sa cour, dans ses bancs, dans ses contenus. Le maître et la maîtresse d'école sont des personnages inoubliables, de mystérieux allumeurs de consciences et des ouvreurs de connaissance. Silence, ici nous formons des humains ! Les meilleurs qui soient.

Il y a un gros arbre dans la cour de mon âme. C'est beaucoup plus qu'un arbre, c'est une histoire d'amour et de reconnaissance. Quand ma vieille épinette mourra, quand elle sera frappée par la foudre, renversée par le vent, abattue par un innocent, vaincue par le temps ou par une compagnie d'assurances, alors mon monde sera fini. Je verrai sa vieille souche comme on regarde les restes d'un monument effondré, et plus personne ne se souviendra de la grande épinette blanche à l'entrée de mes terres et du petit chemin de sable qui passait à ses pieds. Et le lieu, alors, aura perdu son esprit.

Lente est ma rivière

Saskatchewan est un mot algonquien (cri) qui signifie « rivière rapide », ou « rivière au courant rapide ». En son contraire, on peut imaginer que les voyageurs, dans leur infinie poésie et dans leur manière unique de considérer les lieux et les choses, ont trouvé quelque part, sur la terre d'Amérique, une rivière Lente. Puisque nous associons souvent la lenteur à la platitude, il se trouve en effet dans la toponymie nord-américaine une rivière Plate, un affluent important du Missouri. Il se trouve encore, ailleurs, une rivière Ennuyante, sans que personne se souvienne vraiment de quel ennui il s'agissait. Mais on devine que la rivière Ennuyante, comme la rivière Plate, devait apparaître, aux yeux des voyageurs, tout en méandres, sans rapides et sans sauts, sans surprises, une rivière qui semblait tourner en rond et prenait tout son temps avant d'arriver à destination.

L'eau qui coule, le fleuve, la rivière, le ruisseau étant de grandes métaphores dans l'esprit des humains philosophes, il semble bien que sur ces sujets nous ayons depuis longtemps fait notre lit. L'eau vive nous rafraîchit, elle nous émerveille, nous rend joyeux, elle file entre les roches arrondies comme si la descente était un jeu. À la puissance mille, nul ne résiste aux beautés des grandes chutes, aux grondements des rapides. On voit tout de suite un arc de joie, le goût de sautiller ; je pense au rapide Danseur, près du lac

Duparquet, en Abitibi. À l'inverse, l'eau lente nous rappelle l'écoulement inéluctable du temps, on comprend en regardant le courant tranquille que cette eau voyageuse est comme notre sablier sacré. L'eau sera sombre, elle sera profonde, peut-être sera-t-elle froide, autant de qualités associées à la mort.

La jeunesse regarde la rivière, elle voit les eaux blanches, les cascades, les sauts, elle se voit en kayak, elle crie sa joie dans les bouillons et les tourbillons. La jeunesse est vive comme l'eau qui l'emporte. La vieillesse, elle, se cherche un bassin paisible, une eau calme, c'est le cas de le dire, là où la rivière feint d'être un lac tant son eau se repose, un brin. La vieillesse, il faut le savoir, rame un peu à contre-courant. Elle voudrait ralentir le flot et retarder la montre. Voilà pourquoi les vieux sont lents. Ayant entrevu la sortie, ils ne se précipitent pas.

D'ailleurs, chacune de nos âmes se trouve assise dans un canot, chacune est en voyage sur une rivière sans nom. Jeune, elle s'amuse ; adulte, elle s'interroge ; vieille, elle apprend à se laisser dériver. Dans les circonstances, le vrai bonheur du vieux consisterait à trouver une rivière inconnue et paisible, un bras improbable, dont l'entrée serait cachée par un bouquet d'aulnes inextricables, une rivière que personne n'aurait jamais descendue. Cela s'appelle une ultime diversion, une rivière Éternité, sinueuse, une rivière qui médite au point de s'appeler aussi la rivière Qui-Coule-à-Peine. Tous ces noms existent sur la carte, où ils finissent par faire un texte qui vaut bien des traités de philosophie. Montaigne disait que tout bouge, y compris les montagnes, qui bougent plus lentement. Là voilà bien, cette fameuse montagne Tremblante, dont les tremblements ne sont perceptibles qu'à ceux et celles qui prennent le temps d'en prendre le pouls. Quelque part, il y a une rivière Qu'Appelle, une autre qui ne répond pas.

Je n'ai jamais aimé la vitesse. Devrais-je admettre que j'étais déjà vieux lorsque j'étais jeune ? Cet aveu ne me coûte nullement, il correspond à ma profonde vérité. J'ai été lent, j'ai aimé la lenteur, je l'ai cultivée. J'ai navigué, enfant, sur la rivière de la Tranquillité, dont j'ai aimé chaque détour. Je déteste les raccourcis pour arriver plus vite, si bien qu'en vieillissant, je n'ai pas eu à m'adapter à quelque ralentissement que ce soit. Lente est ma rivière, elle l'a toujours été. J'ai pu lire calmement le texte des âmes mortes qui sont passées avant moi, j'ai pu entendre le tremblement de la montagne, sentir la croissance lente de l'arbre à lichens, je comprends encore les mots de la rivière qui parle, et le silence de la rivière qui ne parle pas.

Frapper un mur

Dans le cours de ma vie, j'ai rencontré plusieurs murs. En réalité, je les ai frappés. Parfois je les voyais venir, parfois ils me prenaient par surprise, dans le détour. Chaque fois, l'âme s'en est trouvée meurtrie et ces blessures, c'est bien connu, viennent abîmer le corps un peu plus. Au pied de tous les murs du monde, on retrouve les lambeaux de ceux et celles qui les ont un jour frappés. On retrouve des morceaux de jeunesse, des restants d'innocence, des parcelles de foi. Et il n'est jamais facile en notre cœur et raison de nous remettre debout en faisant l'inventaire de nos pertes, tout en conservant une certaine joie de vivre, disons une bonne humeur, prêts à recommencer, jusqu'au prochain choc.

Sport extrême, course à obstacles, sauts et relais, réalisons-nous à quel point la vie nous étourdit, nous assomme, nous précipite ? Rien n'est lisse, rien ne va de soi. Le mur n'est rien d'autre que la réalité et la réalité, trop souvent, est adverse. Il y a quelques années, je travaillais dans le bois, sur ce qui était ma terre à bois. Avec mon fils, une belle jeunesse, fort comme un bœuf, nous sortions des billots d'épinettes. C'était, vous l'imaginez, la vie rêvée : me retrouver dans la forêt résineuse, avec mon gars, au volant d'un petit tracteur, en train de rire, de souffler, de me pousser à bout, de ressentir la force de mon corps physique, moi, l'intellectuel invétéré. Au volant de ma machine, je faisais des allers-retours entre le bas de la coulée et le sommet d'une petite butte, les billots s'accumulaient, nous savions que nous allions en faire, de belles planches et de beaux madriers. La scie mécanique, le bruit des chaînes et des crochets, le diesel de mon Massey Ferguson, l'odeur de la résine, le petit froid de l'automne, Dieu que j'étais heureux dans ces moments bénis !

Mais un beau jour, je devrais dire un mauvais jour, je m'affairais à décharger des billots en haut de la butte, utilisant mon crochet pour les faire tomber et rouler en bas de la remorque, quand soudain un éclair me frappa le bas du dos, comme un choc électrique. La douleur me traversa le corps, une douleur si intense que je tombai au sol, me tortillant comme un ver, hurlant comme une bête. Mon fils ne pouvait pas m'entendre, il bûchait fort dans le creux de la coulée. Après un moment, je pus me relever et le mal disparut aussi vite qu'il avait sournoisement frappé. Mais à partir de cet épisode maudit, après des périodes de répit, la douleur revint régulièrement, le temps d'un éclair dévastateur. Commença alors une longue période de déni : je n'en parlai à personne et je fis comme si la chose n'existait pas. J'endurais mon mal, comme on dit. Mais je savais bien qu'un jour ou l'autre, j'allais devoir affronter la réalité… frapper un mur. Après deux longues années de petites paralysies et de grandes peines, il a fallu que je consulte : j'avais le dos brisé. Le médecin me demanda si j'étais tombé du haut d'un troisième étage. Mais non, je crois bien que ce bris venait simplement de la vie que je menais, c'était le résultat de mes voyages, de mes charges, de mon âge. Cette blessure me conduisit sous le bistouri du chirurgien qui me répara la colonne vertébrale, m'évitant de justesse la paraplégie. Toutefois, j'y ai laissé un morceau : j'avais un dommage neurologique irréversible à la jambe droite.

Aujourd'hui, je ne marche presque plus et je me tiens difficilement debout. Je ne peux plus aller en forêt, je m'enfarge dans la moindre souche, je bute sur le premier caillou. Je ne suis plus dans le bois, en automne, au printemps, avec mon fils, jasant de thuyas, de bouleaux et de pruches. Je ne monte plus sur mon tracteur, je n'ai plus de terre à bois, j'ai vendu mon camion. J'ai frappé un mur. Et j'ai laissé au pied de ce mur une partie de mon âme. Je ne peux pas dire que je me sois relevé de ce coup dur puisque, justement, ce coup m'a cloué sur une chaise. Mais une chaise donne à penser. On voit mieux le mur, sa hauteur, sa cruauté, quand on l'a frappé de plein fouet. J'en suis maintenant quitte pour saisir les moments de réminiscence, pour voir dans ma tête les éclairages de ces moments bénis. Qu'elle était belle, ma forêt, qu'il était beau, mon fils ! Je puis quand même me dire : ces moments heureux, je les ai eus.

Vous êtes encore jeune, monsieur Bouchard

Vous êtes encore jeune, monsieur Bouchard

Nous n'avons plus vraiment les rites, mais nous aurons toujours les passages. Le « *branding* » d'une génération, les étiquettes, les X, les Y et les Z n'arrêteront pas la roue de tourner. Il est un temps pour apprendre à vivre, il en est un autre pour accepter de mourir. Un point c'est tout. J'ai toujours été agacé par l'expression « baby-boomers ». Elle est laide, grotesque et stéréotypée. Il faut bien venir au monde un jour, une année, quelque part. Cela n'existe pas, l'année des clowns. Il n'est pas de millésimes pour les humains. Si j'avais vingt ans aujourd'hui, je détesterais que l'on cherche à m'appeler « millénial ». Nous sommes tous sur la nef du temps, du moment que nous sommes vivants.

La jeunesse est très ancienne, elle existe depuis toujours, elle est au moins aussi ancienne que la vieillesse. Le jeune, de toute façon, ne sera jamais qu'un vieux en devenir. Il n'y a donc rien de nouveau dans la jeunesse, cela est même plus redondant qu'on pense. Il y a toujours eu des jeunes pour remplacer des jeunes qui ne le sont plus, parce qu'ils sont devenus des adultes sans s'en apercevoir. Évidemment, tout est relatif. D'ailleurs, réfléchir à la jeunesse, c'est faire face à la relativité dans le temps comme dans l'espace. La jeunesse n'est pas partout pareille, elle n'a pas les mêmes visages selon les époques, selon les cultures. Il est des jeunes qui tentent de se vieillir, il est des vieux qui rêvent de rajeunir.

La métaphore du hockey parle d'elle-même. Nous vivons dans une société où la jeunesse est valorisée de toutes les façons : vertu de créativité, de réactivité, de vitalité, d'adaptabilité, d'instantanéité. La patinoire d'aujourd'hui n'est plus celle d'hier, n'arrête-t-on pas de répéter. Aujourd'hui, les joueurs mesurent six pieds sept pouces, ce sont des colosses, point de salut si tu n'as pas le gabarit. Nous disons aussi que la jeunesse d'aujourd'hui pense plus vite, agit plus vite, profitant à leur maximum des nouvelles technologies. Jeunesse extrême qui subit de grosses pressions de performance et qui enseignera aux vétérans la nouvelle façon de lacer ses patins. Les commentateurs sportifs n'arrêtent pas de dire que la Ligue nationale de hockey est désormais une ligue de jeunes. Selon les experts, l'athlète atteindrait désormais son plein potentiel à l'âge de vingt ans. Ce qui signifie qu'à trente ans, le joueur de hockey est déjà fini, c'est-à-dire vieux. Quel jeu cruel, quand on y pense. Le vétéran ne pourra rien enseigner aux recrues puisque son savoir ne vaut plus dans la nouvelle époque. Le jeu a changé, que voulez-vous. L'équipement a changé, l'entraînement a changé, la nutrition a changé. Le vétéran ne s'y reconnaît plus. Paradoxe ultime, si son espérance de vie augmente, le temps de sa jeunesse, lui, se raccourcit drôlement. Et le vieux vétéran, ayant accroché ses patins, ira à la télé répéter constamment : comme ils sont vifs, comme ils sont rapides, comme ils sont agiles, bien meilleurs que nous à leur âge ! Ce sont des mutants qui sont sans être devenus. Ils lancent si fort, ils frappent si fort, ils ont un élan de vie irrésistible. Non, disons-le franchement, le savoir n'a plus la cote.

La vie est une autoroute. Idéalement, savoir vivre, c'est savoir reconnaître où l'on se trouve sur le chemin. L'enfant heureux carbure à l'innocence. Le jeune apprend, il est en devenir. L'adulte est en principe dans la force de l'âge, le vieux, lui, en déclin. Je me souviens de toutes les étapes : naïveté de mon enfance, illusion de ma jeunesse, rêves, amours, passions, combats, victoires, défaites, blessures, pertes, renoncement. Ah ! si jeunesse savait, le jeune serait moins fou de cette folie qui nous fait tant défaut quand on vieillit. Ah ! si vieillesse pouvait, sachant que la vieillesse ne peut plus rien devant la mort qui se rapproche. Pourquoi est-il si difficile d'être ce que nous sommes au moment où nous le sommes, dans la grande chaîne de la vie ? Ne me dites jamais : vous êtes encore jeune, monsieur Bouchard ! Car je ne le suis plus, je ne le suis pas, et je ne veux pas l'être !

M'aurais-tu *liké*, Bernard ?

Il faut que je te l'avoue, Bernard, je n'ai jamais mis un terme à la conversation que nous n'avons cessé d'entretenir pendant des années et des années. Lorsque je termine aujourd'hui l'écriture d'un texte, que je réfléchis, que je m'exprime publiquement sur un tas de sujets, je t'entends toujours dans le fond de ma tête, je cherche à savoir ce que tu en penserais, tu es encore et encore dans mes idées.

Je me demande, mon ami, ce que tu aurais fait de Facebook, de Twitter, du numérique en général. Tu es parti au moment de l'explosion de ces nouvelles technologies. Si tu étais resté avec nous, nous aurions pu ensemble réfléchir sur les mots, les concepts et les pratiques, comme nous le faisions au bon vieux temps de nos lieux communs : l'écran, les yeux, la lumière, les pouces, les *selfies*, les messages, les contenants, les contenus, le réseau, le savoir, la rumeur, le dérèglement mental d'un très grand nombre d'usagers. Tu aurais certainement commenté l'usage que j'en fais moi-même, peut-être m'aurais-tu suivi dans l'aventure ? Je donnerais cher pour lire un « statut » de toi, où je retrouverais ta façon unique de voir et de dire les choses. Aurions-nous été « amis » ? M'aurais-tu « *liké* » ? Est-ce que j'aurais « partagé » ce que tu aurais mis en ligne ?

Que dirais-tu, Bernard, de ce retour en force d'un islam guerrier ? Nous aurions pu discuter de la colère de Dieu, de la guerre sainte, de la foi aveugle, de la pratique universelle de la décapitation, de la couleur noire, de la drogue et des balles de fusil, des égarements de la jeunesse, des pick-up Toyota beiges, de la haine de l'Occident, de tous les symboles du Diable. Car il faudrait éclaircir ces questions : pourquoi l'humain tue-t-il, pourquoi l'humain accepte-t-il de mourir en se référant à des symboles qui opposent si parfaitement et si commodément le Bien et le Mal ? Ton ironie te ferait peut-être dire : parce que nous sommes en 2019 ! Que dirions-nous, Bernard, de Donald Trump, de son spectacle, de ses admirateurs, du mur pour bloquer les Mexicains, de l'autre mur pour bloquer les musulmans, des investissements massifs pour redonner à l'armée américaine le lustre et surtout la puissance qu'elle a supposément perdus. Nous pourrions réfléchir sur les sujets de l'hypnose, de la psychose, du spectacle de cette comédie dramatique et de l'éternelle efficacité de la pensée simple. Tu m'aurais sûrement rappelé le sérieux des bouffons dans l'histoire.

Sur le réchauffement climatique, tu ferais ce que tu as toujours fait : chercher à poser les bonnes questions. Ta rigueur anthropologique t'obligeait à fouiller dans la mémoire des cultures, dans le fouillis ethnographique de toutes les expériences humaines. Ce n'est pas d'hier que les sociétés humaines craignent que le ciel leur tombe sur la tête, que la pluie cesse de tomber, que la pluie tombe trop. Le déluge, présent dans presque toutes les grandes mythologies, fut un gros changement climatique. Il s'agissait d'une rupture, d'un point de non-retour, d'une punition pour une humanité qui avait mal agi. Car les anciens et les anciennes n'avaient-ils pas dit, dans un grand nombre de cultures, qu'il fallait respecter la terre sous peine de la voir se retourner contre nous ? Ce sont les chamans de Mongolie, d'Amazonie, d'Algonquinie qui avaient raison, nous sommes en train de nous étouffer nous-mêmes, par notre hyperactivité, par notre irrespect colossal pour le mystère de la vie. Nous insultons la terre, elle nous le rendra bien.

Je n'ose pas penser comment tu aurais vu ces transgressions animales si bizarres que nous ne cessons de voir apparaître sur Internet : la biche qui joue avec un chien, le tigre qui s'amourache d'une chèvre, le chat qui folâtre avec une perruche, l'orignal qui tombe amoureux d'une biologiste. Quelles leçons tirer du spectacle de tant de combinaisons en apparence aléatoires ? Je crois que le sujet t'aurait grandement intéressé : les extrêmes de la modernité recyclant de très vieux matériaux.

Ce que tu disais, au fond, c'est qu'il n'est d'autres mondes que ceux que nous avons nous-mêmes créés. Par conséquent, il est impératif de vraiment interroger sans relâche et intelligemment celui dans lequel nous vivons, et de démanteler pièce par pièce le piège dans lequel nous nous sommes si profondément enfoncés.

I don't look good naked anymore

Sur votre fil Facebook, vous cliquez sur une vidéo, comme il y en a tant. Des images apparaissent qui montrent des choses. Ce sont peut-être des nouvelles curieuses, des paysages, des animaux. Mais on se lasse du pareil au même, on se lasse de l'ordinaire. Nous avons développé l'appétit des images extrêmes, la soif du jamais vu, nous nous nourrissons d'indiscrétions, de grandes indélicatesses, de morts en direct, de scènes de viol, de pendaisons, de lapidations, de filles toutes nues, de clowns grotesques. Les gens, disons, plus raffinés peuvent voir un film très artistique, très philosophique, qui montre l'agonie d'un être humain, sa détérioration, sa phase terminale et, en gros plan, son visage au moment de rendre le dernier souffle. La naissance en direct, la mort en direct, nous sommes la société du direct. Comme disait Yvon Deschamps, « on veut pas le savouére, on veut le vouére » ! Mais voir qui, en définitive ? Voir quoi, voir comment ? Tout se passe comme s'il ne nous fallait rien manquer, avant, après, pendant, de haut, de loin, de proche. Société de la haute définition.

Où l'on voit que les temps changent. La pudeur est une disposition ancienne qui a évolué sur des siècles et qui a été expérimentée dans de nombreuses cultures en d'innombrables lieux. La pudeur apparaît aujourd'hui comme une manière surannée. Il est démodé de détourner le regard, de se boucher les yeux, de les fermer pour ne pas voir ce qui ne doit pas être vu. Le moderne serait tenté de dire : ne faites pas tant de manières, allez, *tout le monde tout nu !* Dites-nous vos angoisses, vos insomnies, vos maux et vos diarrhées. Vous avez pris une grosse fouille ? Prenez une photo de vos plaies et mettez-la sur Instagram. Le grand dévoilement universel est arrivé. Moment extraordinaire où nous pourrons voir tout ce que nous avions pris grand soin de cacher depuis toujours. Nous sommes la société des voyeurs et il est clair que l'œil de la caméra a tous les droits. Jadis, au cinéma, il eût été impensable de tourner une scène avec Clark Gable sur le bol de toilette. Aujourd'hui, on impose aux plus grands acteurs et actrices de tourner les scènes les plus intimes. Derrière un micro, devant une caméra, les gens se confient et révèlent des informations qui ne devraient jamais être partagées. Cependant, tout se partage, semble-t-il.

La pudeur, c'est l'art de ne pas entrer dans les détails. L'humain est ainsi fait qu'il voit trop clairement les choses. Pour ménager son cerveau trop intelligent autant que sa sensibilité trop fine, il a besoin de filtres. La lumière crue blesse l'œil, c'est bien connu. D'ailleurs, tout ce qui est cru, trop cru, blesse la sensibilité : un langage cru choque l'oreille, une image crue choque le regard, et ainsi de suite. Est-il impudique de photographier sa pizza ou sa poutine pour la montrer sur Facebook ? Est-il impudique de multiplier les portraits de soi-même en train de boire un verre de vin ou de prendre son bain, est-il impudique de dévoiler tous les aspects de sa vie ? Le corps, le sexe, la maladie. Ne devrions-nous pas nous garder une petite gêne dans la représentation de nous-mêmes ? D'autant plus qu'à partir d'un certain âge on est un peu moins présentable ; en cela la nature est pudique, elle qui nous fait perdre graduellement la vue.

Finalement, la plus grande pudeur, c'est l'art de cacher ses blessures, ses cicatrices, c'est l'art d'enrober, littéralement. Ce n'est qu'un pansement, me direz-vous. Mais c'est bien plus encore. Disons que c'est un dernier retranchement. Il n'y a pas de honte à vouloir rester digne, à « sauver les apparences », malgré les circonstances qui nous agressent. C'est qu'elle est dure, l'épreuve de la pudeur, quand on se promène dans une jaquette d'hôpital, les fesses à l'air, en pieds de bas, avec un bonnet sur la tête.

Donnez-moi des perles rouges

Il n'est rien de plus immobile qu'un corps mort, rien de plus passif, inerte, terminé. Toutes les fois que j'ai vu le corps d'un mort, toutes les fois où je me suis présenté devant un cercueil ouvert, je me suis buté à ce vide, à cette rigidité. Le cadavre exhibe toute l'ampleur de l'absence, comme si l'être réputé avoir occupé ce corps ne s'y trouvait plus. Comme s'il était occupé ailleurs, mais où ? Voilà pourquoi les religions ont inventé le paradis, voilà pourquoi elles ont voulu mépriser le corps au profit de l'âme. Mais en bout de course, cela n'a jamais vraiment convaincu grand monde : se détacher de son corps ne nous vient pas facilement à l'esprit.

Depuis la nuit des temps, nous croyons à l'importance absolue du corps. Nous nous convainquons facilement que nous ne faisons qu'un avec lui, jusqu'à imaginer que nous sommes ce corps et que ce corps, c'est nous. Il est difficile d'admettre que notre corps est un autre, qu'il nous est étranger. Oui, le corps est une couverture qui s'use, se découd, se troue, s'effiloche. Nous sommes en lui comme dans un habitacle, un vaisseau spatiotemporel, mais souvenons-nous que le pilote n'est pas la machine. Cette dernière a une date de péremption, mais nous ne saurons jamais rien du véritable destin du cerveau qui est aux commandes après que son appareil, c'est le cas de le dire, aura rendu l'âme.

N'est-il pas normal de vivre de mensonges et d'espérance ? De rêver que cette enveloppe puisse se régénérer, que son usure soit stoppée, et que, en d'autres mots, nous parvenions à vaincre le vieillissement, toutes les maladies et ultimement la mort ? Voilà bien la dernière promesse des nouveaux alchimistes des temps modernes. La tentation de la conscience de vouloir s'éterniser est facile à comprendre. Cela fait de nous des clients crédules.

Il y a plus de deux mille ans, l'empereur chinois Qin Shi Huang, le premier qui unifia la Chine en mettant fin à la guerre des royaumes, se croyait trop important, trop unique, trop puissant pour simplement vieillir et mourir, comme le commun des mortels. Il était terrorisé par le vieillissement, la mort, la finitude de son être. Or la rumeur courait qu'il existait une tribu d'immortels, quelque part dans les montagnes du royaume. L'empereur fit l'impossible pour trouver ces immortels, supposant qu'ils pourraient lui fabriquer un élixir pour vaincre sa dégénérescence et repousser sa mort. Malheureusement, personne ne localisa jamais cette tribu. Désespéré, l'empereur somma un de ses médecins de voyager à travers tout l'empire pour trouver le remède au vieillissement. Après plusieurs années, le médecin revint à la cour de l'empereur en déclarant qu'il avait découvert la recette de l'immortalité : les perles rouges. Chaque perle était censée donner six ans de vie. C'était la petite pilule rouge de l'éternel report de l'échéance. Cependant, ces perles rouges étaient des ampoules contenant du sulfure de mercure, la recette parfaite d'une mort lente par empoisonnement. Ainsi, l'empereur mourut prématurément du poison qui lui promettait la vie.

Les temps modernes reprennent à la lettre le vieil esprit de l'empereur Qin Shi Huang. La personne est un *je* qui est un empereur pour lui-même. Nous sommes à l'ère du narcissisme populaire. Chacun de nous est trop précieux pour dépérir, vieillir, mourir. La science désormais nous gardera jeunes, pour toujours, déjouant maladies et malheurs. Et notre corps et notre esprit, au lieu de se distinguer l'un de l'autre, au lieu de se séparer à la fin, resteront associés pour toujours, collés l'un à l'autre sans crainte ni espoir d'en finir jamais. Le corps alors ne sera plus une enveloppe passagère, ce sera un carcan permanent, un boulet qui empêchera l'esprit de s'absenter et l'âme de partir.

Ne jamais parler aux vieux

Elle est suspecte, cette manie moderne qui consiste à bouder la sagesse. Notre société joue à ignorer l'expérience accumulée. Elle se passe volontiers du conseil de ses sages, vieux hommes et vieilles femmes qui ont vécu, qui ont contribué à changer le monde, qui ont fait face à la complexité des choses. Ils se retrouvent à la retraite, dans le corridor de sortie, où personne ne pourra jamais leur enlever leur savoir ; mais nous avons trouvé le tour de n'en rien savoir, justement. Les conseils de la sage femme et du sage homme sont les choses les moins recherchées de nos jours. Nous ne savons même plus que cela existe, un sage, nous ne saurions que faire des vétérans de la conscience.

Ils ont navigué les sept mers par tous les temps, mais qui reconnaît la valeur d'une belle épave ? Inutile d'interroger la vieille à propos du vent contraire, on dira que le vent d'aujourd'hui est un vent nouveau qu'elle n'a pas connu. Qui saurait lire dans les rides des visages le sens d'une énigme ? Tous les vieux ne sont pas intéressants, bien sûr, et même loin de là ; il n'est pas donné à tous d'atteindre la sagesse. Dans une société normale, la proportion des vieux fatigants équivaut à celle des jeunes insignifiants.

Oui, elle est suspecte, notre époque, où l'on ne tient pas compte du chemin parcouru. Car de chemin il n'y a plus. Et nous aurons vécu en vain, puisqu'il n'y a rien à transmettre, rien à passer, le monde étant ce qu'il est, entièrement neuf chaque année. Il ne sert plus à rien d'être sage. Le monde est si nouveau que tout ce qui a de l'âge appartient au rayon des traîneries. Nous trouvons déplacée toute réflexion de vieillard, cette fricassée nostalgique, cette comptine de belle-mère, ce radotage de centre d'hébergement et de soins de longue durée. Nous avons vite fait d'invoquer la sénilité. Qui donc pourrait réunir les meilleurs vétérans de l'intérêt public afin de recueillir leur avis sur les sujets les plus difficiles du monde ? Que nous sommes loin de cette cérémonie de consultation, sous l'arbre de la sagesse !

Mais nous avons tous connu des sages, des philosophes ouvriers, des penseurs naturels. Je revois mon père, sur les bords du fleuve. Il avait atteint l'âge du désintéressement et fixait le courant pendant de longues heures. Sa devise n'avait rien à envier aux enseignements de Confucius. Mon père disait : « Sois heureux comme t'es, ousse que t'es, avec c'que t'as. » Ce qui signifiait : le courant de l'eau te dit toujours la vérité. Tout passe, tout coule, tout s'en va vers l'océan, quoi que tu fasses. Le poisson est heureux, comme un poisson dans l'eau. Le poisson ne se pose pas de questions sur le sens de la vie. C'est quand il mord à l'hameçon que ses problèmes commencent.

Il est vrai que les sages repèrent vite les excités du bocal. Ils nous mettent en garde contre certains hameçons et certains pièges. Cela existe, des valeurs universelles et intemporelles : un savoir est un savoir, un cœur est un cœur, soigner ne revient pas à compter ses heures, il faut être un bon professeur pour bien enseigner, un bon humain pour bien humaniser, et puis aimer les enfants, valoriser la justice, la compassion, la paix, le respect de la terre, l'amour humain, la beauté du monde, toutes les forces de la vie… Et s'indigner devant tout ce qui porte atteinte à notre dignité.

Lorsque monsieur Gérin-Lajoie parle d'éducation,

nous devrions garder une minute de silence et l'écouter religieusement. Lorsque monsieur Castonguay parle de santé, nous devrions prendre notre pilule. Lorsque madame Lise Payette nous avise, nous devrions être avisés. Vivement un conseil des sages ! Au lieu des bizarres dragons ou des juges de *La Voix* qui occupent la télévision aux heures de grande écoute, proposons une émission lente rassemblant des vieillardes et des vieillards pour discuter des grands problèmes de société, une sorte de ligue du vieux poêle réhabilitée, un show de chaises roulantes : cela s'appellerait *La soirée va être longue… mais on va se coucher moins niaiseux.*

Ne parlez jamais aux vieux. Et comme je suis moi-même au seuil de la vieillesse, si je ne l'ai pas déjà franchement atteinte, n'écoutez surtout pas mes radotages. Dans leur sagesse, les sages pourraient bien vous dire une vérité dont votre jeune assurance ne se remettrait jamais.

Vieilles boîtes et crottes de souris

Au sous-sol de ma maison, dans les Laurentides, dorment des boîtes et des boîtes d'archives personnelles. Ce sous-sol est en fait une cave, une vraie cave de ciment gris comme les aiment tant les souris grises. Et de fait, les souris sylvestres ont pendant longtemps passé de beaux hivers au chaud dans cette cave, s'installant à l'intérieur de mes boîtes, ces palais de carton, vivant au beau milieu de mes souvenirs, de mes notes de terrain, brouillons, travaux, rapports, grignotant le papier, faisant de petites crottes dans les dossiers. Il ne faut pas leur en vouloir, comment ne pas s'attendrir devant ces petites bêtes qui fuient le froid de l'hiver et les intempéries et qui trouvent le moyen de se recueillir dans la tranquillité d'une boîte d'archives ?

Les souris sont les rats de nos bibliothèques intimes. Elles regardent de vieilles photos jaunies, elles passent des heures devant des cartes postales, elles s'interrogent devant d'anciennes cartes d'identité, elles dorment dans des enveloppes, et si elles savaient lire, elles liraient toutes ces lettres écrites et reçues, de l'amour, de l'amitié, des mises au point, des menaces, des explications, des refus, des déceptions.

À mes tas de boîtes s'en ajoutent d'autres, celles de ma blonde. Des petites souris se sont aussi installées dans les siennes, lisant ses collections de lettres manuscrites, projets et plans, notes et souvenirs, anciens bulletins de l'école primaire, grands travaux du secondaire, débuts de premiers romans, vieux billets de train, et des factures, des factures. Les souris ont passé des hivers dans cette odeur de papier sec, à la noirceur d'un terrier, en sécurité, comme dans une voûte bien scellée. Et les souris des archives de ma blonde discutent avec les souris de mes archives. Elles colloquent à propos de chacune de nos vies. Ces souris savantes et académiciennes, cultivées, historiennes, ont finalement établi que Marie était une femme de lettres et que moi, j'avais été un étudiant médiocre jusqu'à un âge avancé. Si elles étaient malfaisantes, méchantes et malignes, les souris pourraient me faire chanter.

Devant une pareille accumulation de papiers, de dossiers et de souvenirs, on se prend à rêver. Ne serions-nous pas plus légers si nous brûlions tout cela ? À quoi sert cette manie de tout conserver, de faire des boîtes et des boîtes que nous ne consultons jamais ? Mais justement, il arrive que nous les consultions. Quand je mets de l'ordre dans mes vieux papiers, je prends un congé du temps. Je sors de ce temps d'aujourd'hui pour me transporter dans un autre, celui de l'archive que je trouve. Une lettre reprend vie, comme au jour où elle fut écrite. Une date, un jour, une saison, tout s'allume, littéralement, et cette année évoque une époque, des moments, des éclairages et des odeurs, des espérances, des coups de cœur.

Mille neuf cent soixante-cinq. Ma collection de « transferts » d'autobus : toutes les routes, toutes les lignes de la Commission de transport, avant le métro, des bouts de papier d'une grande valeur, avec un imprimé datant d'avant le numérique, autant dire de milliards d'années. Quand je regarde ces « transferts », comme on appelait jadis les correspondances, je revois des visages de chauffeurs d'autobus, des amis de collège, je revois les panneaux d'arrêt, jaune, brun, avec une flèche noire, je revois des rues, des façades de maisons, des terminus qui n'existent plus.

Et ça continue ainsi, des boîtes et des boîtes… Mais que deviendront-elles, ces boîtes, que deviendront ces souvenirs inutiles, ces dossiers qui ne sont plus très chauds, ces photos où on ne reconnaît plus personne ? Qui s'intéressera aux artefacts de nos vies, à toutes ces choses qui nous ont semblé un jour si importantes, si archivables… Au fond, comme les souris, nous laissons derrière nous de bien petites traces.

Un instant dans la vie de mon manteau

Le temps porte lourd, car il transporte à chaque millième de seconde l'instant de toutes choses, le présent de toutes les existences. Prenons moi-même et mon grand manteau noir. Nous sommes aux portes de l'hiver, il a beaucoup neigé hier, les grands froids arrivent des plaines de l'Ouest, elles-mêmes balayées par des vents arctiques. Je prends le train ce matin en direction de Toronto. Me voilà donc à la gare Centrale de Montréal, à dix heures trente, mon grand manteau sur le dos, mon chapeau noir, mes gants de cuir, ma petite valise roulante, ma canne et, dans ma poche, mon billet de train. Un monsieur est là, sur le quai, un employé, qui m'indique où se trouve la voiture numéro 1, tout en faisant son possible pour m'assister, voyant bien que je marche gauchement, appuyé sur ma canne d'un côté, sur le manche de ma valise de l'autre. Une fois rendu à la porte de la voiture numéro 1, je remarque les roues de métal, froides et enneigées, je songe une seconde à ce wagon, celui-là même dans lequel je monte, je songe à l'accumulation de ses voyages, de ses départs et de ses arrivées, et je me dis : il ne s'arrête jamais, ce wagon fatigué, et ce départ est pour lui une simple continuité. Que fait un train dans la vie, sinon voyager ?

Une fois à l'intérieur, on sent bien la chaleur et le confort du lieu. J'ai une banquette près de la grande fenêtre, deux peut-être, si personne ne prend la place d'à côté.

Comme pour forcer le destin, j'enlève mon grand manteau et le dépose sur ce deuxième fauteuil, avec mon chapeau par-dessus, et ma canne pour encore mieux occuper la place. Il est dix heures cinquante et un, quatre minutes avant le départ. Mon manteau traverse son époque, il n'en est pas à son premier voyage en train, il a traîné dans des porte-bagages d'avion, il a passé plusieurs étés dans un garde-robe, et là, il m'accompagne pour un nième hiver. J'imagine qu'il aime se promener, qu'il aime prendre l'air sur mon dos. Une chose est sûre, il s'entend bien avec mon chapeau.

Mais en ce moment précis, mon manteau noir n'est pas seul dans le wagon, il y a des passagers et tous portent des vêtements, chacun range son manteau. Cela fait certainement partie de l'histoire, le costume, et en particulier le costume à un moment précis de votre vie. Lorsque des promeneurs ont retrouvé l'homme des glaces dans les Alpes et qu'il fut révélé que cet homme avait vécu il y a de cela cinq mille ans, nous nous sommes tous étonnés de son bon état de conservation. Curieux d'histoire, les chercheurs ont examiné avec soin les vêtements de l'homme préhistorique, ses souliers en peau rembourrés de foin, ses restants de fourrures. C'est quand il s'agit de représenter les costumes d'époque que la reconstitution historique relève ses plus grands défis. Dès lors, je regarde les passagers en ce moment précis et j'imagine l'analyse qu'il faudrait faire pour étudier le costume de chacun. Que dirait l'analyste de mon manteau noir, de mon chapeau noir, de mes gants de cuir, de mes souliers thérapeutiques et ainsi de suite ? Il est dix heures cinquante-quatre, le train s'apprête à partir. Pour les cinq prochaines heures, un petit monde fermé va exister : le couple de consultants qui discutent de leurs dossiers, cet homme qui lit son journal, cette vieille dame qui essaie d'engager la conversation avec un couple, et les autres qui consultent leur iPhone, les portables qui se branchent, les employés du train qui s'activent. Ce monde éphémère durera le temps de ce voyage pour se dissoudre dans l'oubli, une fois arrivé à destination.

J'ai parfois l'impression que mon grand manteau noir n'oublie rien, qu'il accumule des couches et des couches de souvenirs. Je crois en somme que sa grande lourdeur lui vient de sa mémoire. Plus je voyage, plus je vieillis, et plus je rapetisse sous ce manteau qui s'alourdit. Il est risqué de tout retenir, de tout observer, de s'intéresser à chaque détail. Car on constate alors l'immense épaisseur de la vague du temps qui emporte tout avec elle. Mieux vaut voyager léger et se laisser aller. La vie est bien faite qui nous permet de monter dans un train sans remarquer le train, sans voir les passagers, leurs visages, leurs costumes, sans noter l'architecture de la gare, sans ressentir la froideur des quais, sans observer la couleur des rideaux à la fenêtre, sans songer à la fatigue des banquettes, à la patience de la moquette, sans entendre le ronronnement des génératrices, sans songer aux conducteurs qui s'apprêtent à partir, à revenir. Il est dix heures cinquante-cinq, le train numéro 65 quitte la gare. Toutes ces interactions, ces regards, ces soupirs, cette mise en scène, tout s'engouffre dans le futur immédiat. Mon manteau, mon chapeau, moi-même, nous passons tous à une autre scène. Je dis à mon manteau : nous sommes dans le temps comme dans ce train, emportés, jusque dans nos moindres détails.

Le vieux mur envahi par le lierre

Les murs me parlent, je parle aux murs, et je n'ai jamais su si ce murmure est normal, paranormal ou délirant. Autant interroger la brique, la pierre, autant questionner le métal comme j'interpelle les arbres, les animaux, les âmes mortes et les objets. Cette poutre d'acier vous confiera-t-elle sa fatigue et ce béton son usure ? Les murs témoigneront-ils un jour de tout ce qu'ils ont vu, enduré, enfermé, caché, protégé ? Les murs livreront-ils tous leurs messages, images, dessins, graffitis remarquables, proverbes géniaux ? Passages secrets, secrets des murs. Certains murs se sentiraient-ils coupables s'ils passaient aux aveux ? Le rideau de fer était un mur froid, que la honte a fini par traverser. Le mur emprisonne et prive de lumière le prisonnier. Ce mur carcéral a l'intérieur cruel. Mais, à l'inverse, le mur protège l'intimité, il protège aussi du vent, du froid, du trop-plein de soleil. Nous nous réfugions à l'ombre du mur. Prison ? Maison ? *Intra-muros, extra-muros*, les murs sont des barrières à deux faces. Ils font semblant d'être infranchissables, cependant ils finissent tous un jour ou l'autre par s'effondrer. Le temps vient à bout des matériaux, il les érode ; la ferraille rouille, la pierre s'effrite, et la mémoire du mur en vient à s'effacer.

Ce mur a une existence, et encore plus le lierre qui le recouvre. Cette pierre provient d'une carrière dont le géologue n'aura jamais fini de raconter l'histoire. Elle fut extraite, taillée, transportée, mise en place, maçonnée. Et le mur fut. Puis le lierre s'est enraciné à son pied, tout petit au début. Patiemment, il l'a envahi, recouvert, pierre par pierre, d'un bout à l'autre. Mariage étonnant du végétal et du minéral. Commence alors cette implacable fascination : voici un mur témoin, un mur sur lequel on aurait pu afficher, dessiner, écrire. Mais voilà une autre chose, une construction, une création, une haie. Je veux bien que cette pierre ne pense pas, mais force est d'admettre qu'elle est. Vivante, non vivante, elle existe ; bien malin celui qui touchera à la nature de cette existence. Nous sommes de la poussière d'étoiles, une poussière poussée aux limites de la complexité. N'y aurait-il pas dans l'univers des formes plus complexes encore, aux confins du cosmos, près des limites extrêmes ?

Dans la solitude de sa grande vieillesse, l'humain en vient à fixer le mur. On croirait qu'il ne pense plus, mais au contraire il pense, et il pense d'autant plus qu'il atteint finalement le cœur du sujet. Il regarde le mur, car il sait qu'il est définitivement rendu au pied. C'était cela, la vérité : j'aurai vécu une longue vie pour en arriver à la limite ultime. Et je sais, en regardant ce mur, que je vais mourir sans jamais avoir rien su, pire, en sachant finalement qu'il n'y avait rien à comprendre. Je regarde la vie, je regarde dans le vide, ce qui revient au même. Car je réalise que le pire des murs, c'est le vide. Nous demandons à l'infini du vide ce que nous sommes venus faire dans cette noirceur. Et c'est le vide qui nous répond par un terrible silence. Comment dire mon non-être, ce temps immense qui s'est écoulé avant que je ne vienne au monde ? Comment justifier ce bref éclair que fut ma vie dans toute sa finitude ? Et puis, où serai-je dans ce vaste univers quand j'aurai franchi la cloison qui sépare le vivant de la mort ? Pour citer Jankélévitch : « Mon corbillard transportera mon rien en direction de son nulle part. »

Je parle au mur et le mur me dit : dans la maison de nos destins, tout est cloison, barrière, grillage, tout est porte et labyrinthe. Je suis ce vieux mur envahi par le lierre, fatigué et frileux, gorgé d'humidité, moussu des souvenirs de tous ces êtres qui sont venus pleurer à mes pieds. Il y a toujours, à la surface des vieux murs, une fine couche de lamentations.

Ma roche ronde

Il y a de cela bien des années, j'entrepris de faire le tour en auto d'un Québec encore bien pourvu en territoires sauvages. Au volant de ma petite Coccinelle, je cherchais à parcourir les chemins du bout du monde, je m'enfuyais sur des routes de gravelle, de sable et de galets, m'enfonçant vers les grandes forêts du Nord, en haut de Senneterre, en direction de Lebel-sur-Quévillon, Waswanipi, Chapais, Chibougamau, Mistissini et du lac Albanel, pour mieux revenir vers la Dorée au Lac-Saint-Jean, en traversant le parc, en longeant la belle Ashuapmushuan, toujours sur la gravelle, dans la poussière de moraine. C'était avant l'ère de l'asphalte, au temps des chemins de terre.

Un soir d'automne, dans les eaux claires et peu profondes des rives de la Chibougamau, ou était-ce au lac Surprise, je ne m'en souviens plus très bien, je ramassai une roche parfaitement ronde, un gros galet, gris-noir, de la taille d'une balle de balle-molle. Dense, lourde et finement striée, cette pierre ne m'a jamais quitté depuis. Depuis cinq décennies, elle repose sur ma table de travail, il ne se passe pas un jour sans que je m'arrête à la regarder et sans qu'elle me pousse dans une sorte de méditation sur le temps, et notamment sur le temps géologique. C'est que, voyez-vous, ma roche est âgée d'un milliard d'années, c'est peut-être un gneiss métamorphique d'origine sédimentaire, ou une anorthosite labradorienne, une roche ignée fort ancienne, un vieux fond d'océan de l'époque où il n'y avait en ce bas monde que du vent, de l'eau et des continents de roches nues, avec quelques traces de vie primitive dans l'eau, des microbes. Ma roche a connu des chaleurs volcaniques, des pressions telluriques, elle a traversé je ne sais combien de grandes périodes glaciaires, elle a été érodée, rabotée, arrachée à son cran originel, petit bloc erratique devenu gros galet, elle a voyagé avec le continent, dérivant sur le magma, elle a connu les chaleurs tropicales lorsqu'elle s'est retrouvée à la latitude du Brésil actuel avant de remonter au nord, elle a connu les immenses tourbillons et prolongés des eaux de fonte de glaciers gigantesques, elle a été arrondie dans le fond d'une cuvette où elle a dû tourbillonner pendant des siècles en se frottant aux parois dures d'une grande chaudière, elle est restée longtemps dans les eaux glaciales de rivières oubliées, elle date du temps de la province géologique de Grenville ; en un mot, c'est une roche précambrienne. Et je me dis : un milliard d'années, ce n'est pas rien, imaginez le temps que cela représente ! Cette roche est si vieille qu'elle surpasse en durée tout ce qui existe autour d'elle.

Juste à la prendre dans ma main, juste à fermer les yeux en ne pensant à rien, et voilà que je ressens le froid et la noirceur des interminables nuits d'hiver, le lent passage des millénaires, la tranquillité de cent millions d'années, tout ce temps à entendre des vagues, des sifflements de vent, le bruit de la pluie qui claque sur la pierre, la glace qui travaille et se fêle, une monotonie brisée par des tremblements de terre et des volcans, le soulèvement des montagnes, leur usure. Je suis traversé par ce pan d'éternité, par ces univers sans âme qui ont évolué en l'absence de toute conscience pour réfléchir les paysages. Cette pierre chibougamienne était là alors que la façade montagneuse du Bouclier canadien plongeait dans une grande mer paléozoïque, bien avant que ne se forment les Appalaches, bien avant l'Atlantique. Oui, les Laurentides ont vu les vagues d'un océan majeur que personne n'a pu nommer.

La Terre a 4,5 milliards d'années. Le Soleil un peu plus. Il est au mitan de sa vie. Des gaz, de la matière, des réactions thermonucléaires, des agrégats de poussières. J'en reviens à Blaise Pascal. Je ne suis rien face à cette durée et le silence de cet infini m'effraie. Si la dignité de ma roche ronde de Chibougamau tient à sa durée, la mienne tient à ma capacité de la bien penser. Je rends donc hommage à cette roche ronde. Je suis heureux de l'avoir remarquée, de l'avoir sortie de l'eau, de la garder sur mon bureau et de la consulter de temps à autre. Elle vaut toutes les horloges du monde. Elle me calme, elle me console et me rend plus solide. Car je sais qu'après moi cette roche continuera à rouler sa bosse. Si je la laissais là, derrière moi, il est probable qu'elle survivrait à dix civilisations humaines, aux extinctions, aux renaissances, aux étouffements écologiques. Tout considéré, je crois que ce qui m'impressionne le plus de cette roche, ce n'est pas son ancienneté… c'est son avenir.

Note de l'éditeur

Chaque semaine, depuis plusieurs années, Serge Bouchard anime, en collaboration avec Jean-Philippe Pleau, l'émission radiophonique C'est fou… *sur la Première Chaîne de Radio-Canada, émission pendant laquelle il lit des textes de son cru écrits expressément pour l'occasion. Un choix de quelque soixante-quinze de ces textes, jamais imprimés jusqu'ici, forme la matière du présent recueil.*

Table des matières

Crédits et remerciements

Les Éditions du Boréal remercient le Conseil des arts du Canada
ainsi que le gouvernement du Canada pour leur soutien financier.
Canadä

Les Éditions du Boréal sont inscrites au Programme d'aide
aux entreprises du livre et de l'édition spécialisée de la SODEC
et bénéficient du Programme de crédit d'impôt pour l'édition
de livres du gouvernement du Québec.
Québec

Collection « Papiers collés »
dirigée par François Ricard

Jacques Allard
Traverses

Rolande Allard-Lacerte
La Chanson de Rolande

Bernard Arcand
et Serge Bouchard
Quinze lieux communs
De nouveaux lieux communs
Du pâté chinois, du baseball et autres lieux communs
De la fin du mâle, de l'emballage et autres lieux communs
Des pompiers, de l'accent français et autres lieux communs
Du pipi, du gaspillage et sept autres lieux communs

Denys Arcand
Hors champ

Gilles Archambault
Le Regard oblique
Chroniques matinales
Nouvelles Chroniques matinales
Dernières Chroniques matinales
Les Plaisirs de la mélancolie (nouvelle édition)

Margaret Atwood
Cibles mouvantes

André Belleau
Surprendre les voix
Notre Rabelais

Yvon Bernier
En mémoire d'une souveraine : Marguerite Yourcenar

Michel Biron
La Conscience du désert

Lise Bissonnette
La Passion du présent
Toujours la passion du présent

Mathieu Bock-Côté
Le Nouveau Régime

Serge Bouchard
Les corneilles ne sont pas les épouses des corbeaux
C'était au temps des mammouths laineux
Les Yeux tristes de mon camion

Jacques Brault
La Poussière du chemin
Ô saisons, ô châteaux
Chemin faisant (nouvelle édition)
Chemins perdus, chemins trouvés

André Brochu
La Visée critique

Ying Chen
Quatre mille marches

Marc Chevrier
Le Temps de l'homme fini

Isabelle Daunais
Des ponts dans la brume
Fernand Dumont
Raisons communes
Jean-Pierre Duquette
L'Espace du regard
Lysiane Gagnon
Chroniques politiques
Jacques Godbout
L'Écran du bonheur
Lire, c'est la vie
Le Murmure marchand
Le Réformiste (nouvelle édition)
Louis Hamelin
Le Voyage en pot
Jean-Pierre Issenhuth
Rêveries
Suzanne Jacob
Ah... !
Judith Jasmin
Défense de la liberté
Jean-Paul L'Allier
Les années qui viennent
André Langevin
Cet étranger parmi nous
Jean Larose
La Petite Noirceur
L'Amour du pauvre
Essais de littérature appliquée
Google goulag
Monique LaRue
De fil en aiguille
Robert Lévesque
La Liberté de blâmer
Un siècle en pièces
L'Allié de personne
Récits bariolés
Décadrages
Déraillements
Digressions
Vies livresques
Jean-François Lisée
Carrefours Amérique
Catherine Lord
Réalités de femmes
André Major
Prendre le large
André Major et Pierre Vadeboncoeur
Nous retrouver à mi-chemin
Gilles Marcotte
L'Amateur de musique
Écrire à Montréal
Le Lecteur de poèmes
Les Livres et les Jours, 1983-2001
La littérature est inutile
Notes pour moi-même
Robert Melançon
Pour une poésie impure
Pierre Nepveu
L'Écologie du réel
Intérieurs du Nouveau Monde
Lecture des lieux
François Ricard
La Littérature contre elle-même
Chroniques d'un temps loufoque
Mœurs de province
La Littérature malgré tout
Mordecai Richler
Un certain sens du ridicule
Christian Rioux
Carnets d'Amérique
Yvon Rivard
Le Bout cassé de tous les chemins
Personne n'est une île
Une idée simple
Georges-André Vachon
Une tradition à inventer
Pierre Vadeboncœur
Essais inactuels
Virginia Woolf
Une prose passionnée
et autres essai

Imprimé sur du papier Rolland Enviro
100 % postconsommation, fabriqué avec un procédé sans chlore
et à partir d'énergie biogaz, Rainforest Alliance
et Garant des forêts intactes.

MISE EN PAGES ET TYPOGRAPHIE :
LES ÉDITIONS DU BORÉAL

ACHEVÉ D'IMPRIMER EN OCTOBRE 2019
SUR LES PRESSES DE MARQUIS IMPRIMEUR
À MONTMAGNY (QUÉBEC).